# DIANE ET LE TRIO TERRIBLE

Quatre gardiennes fondent leur club

**Titres de la collection**

1. Christine a une idée géniale
2. De mystérieux appels anonymes
3. Le problème de Sophie
4. Bien joué Anne-Marie !
5. Diane et le terrible trio
6. Christine et le grand jour
7. Cette peste de Josée
8. Les amours de Sophie

5

# DIANE ET LE TRIO TERRIBLE

## Quatre gardiennes fondent leur club

Ann M. Martin

Adapté de l'américain par
Sylvie Prieur

**Données de catalogage avant publication (Canada)**

Martin, Ann M., 1955-

Diane et le terrible trio

(Quatre gardiennes fondent leur club « Les Baby-Sitters » ; 5).
Traduction de : Dawn and the impossible three.
Pour adolescents.

ISBN 2-7625-6443-3

I. Titre. II. Collection : Martin, Ann M., 1955- . Quatre gardiennes fondent leur club « Les Baby-Sitters » ; 5.

PS3563.A722D3814 1990 j813'.54 C90-096178-3
PZ23.M37Di 1990

Conception graphique de la couverture : Jocelyn Veillette



Dépôts légaux : 4e trimestre 1990
Bibliothèque nationale du Québec
Bibliothèque nationale du Canada

ISBN : 2-7625-6443-3 Imprimé au Canada

LES ÉDITIONS HÉRITAGE INC.
300, Arran, Saint-Lambert, Québec J4R 1K5
(514) 875-0327

*À tante Dot*

Je me présente. Je suis Diane Dubreuil, la dernière recrue du Club des baby-sitters, la cinquième gardienne. Contrairement aux autres membres, moi, je n'ai pas de titre. Mais ça ne fait rien. Le Club est ce qu'il y a de plus important dans ma vie car il m'a permis de rencontrer plein de gens, ici, à Nouville.

C'est que, voyez-vous, j'habite Nouville depuis quelques mois seulement. Jusqu'en janvier dernier, mes parents, mon frère Julien et moi, nous vivions à Hull. Mais, à l'automne, mes parents se sont séparés et Maman a décidé de revenir ici, à Nouville, où elle a passé son enfance.

Au moment où je vous parle, je m'en vais garder chez les Picard, qui ont huit enfants, dont des triplets. Heureusement, je ne les garde pas tous. Les triplets, des garçons de neuf ans, seront probablement à l'exercice de hockey (mon frère aussi d'ailleurs) et Vanessa, qui a huit ans, devrait être à son cours de violon. Il reste donc Nicolas (sept ans), Margot (six ans), Claire (quatre ans), et Marjorie qui a dix ans.

En arrivant chez les Picard, je range ma bicyclette dans

l'entrée de garage et je sonne à la porte.

— J'y vais ! crie une voix de l'intérieur.

C'est Claire, la cadette, qui vient m'ouvrir. Elle adore répondre à la porte et au téléphone.

— Bonjour, Claire ! dis-je en souriant.

Soudain gênée, Claire met un doigt dans sa bouche en regardant par terre.

— Allô ! répond-elle.

— Tu te souviens de moi, n'est-ce pas ? Je suis Diane. Je peux entrer ?

— Oh ! C'est toi, Diane ! Tu es juste à l'heure. Comment vas-tu ? dit Mme Picard en descendant l'escalier.

— Bien, merci.

J'aime bien Mme Picard. C'est une femme énergique, patiente et gaie, qui adore les enfants. Heureusement pour elle. Les Picard ont été vraiment très gentils pour nous depuis notre arrivée.

— Je vais à une réunion des administrateurs de la bibliothèque municipale. Le numéro de téléphone pour me rejoindre est sur le tableau dans la cuisine. Les numéros d'urgence sont à l'endroit habituel. Les enfants peuvent prendre une légère collation. Je serai de retour vers dix-sept heures. D'accord ?

— C'est parfait, nous avons une réunion du Club des baby-sitters à dix-sept heures trente.

Notre Club est dirigé de façon très professionnelle par Christine Thomas, la présidente. Trois fois par semaine, nous nous rencontrons pour discuter des affaires du Club et pour prendre les appels. Les réunions ont lieu dans la chambre de Claudia Kishi, notre vice-présidente, car elle a une ligne téléphonique privée. Claudia est japonaise et elle est très belle. Elle déteste l'école, mais elle raffole des arts et des romans à énigmes.

Sophie Ménard, la trésorière, est arrivée à Nouville quelques mois seulement avant moi. Auparavant, elle habitait Toronto et je sais qu'elle a eu un peu de difficulté à s'adapter à la vie paisible de banlieue. Nous avons donc quelque chose en commun.

Ensuite, il y a Anne-Marie Lapierre. C'est par elle que j'ai rencontré Christine, Claudia et Sophie. En tant que secrétaire du Club, elle est responsable de l'Agenda, dans lequel elle consigne tous nos engagements et tous les numéros de téléphone et les adresses de nos clients. On y inscrit également les recettes et les dépenses du Club. C'est Sophie qui s'occupe de la comptabilité.

Nous tenons aussi un Journal de bord, dans lequel nous relatons tout ce qui se passe durant nos heures de garde. Ainsi, chaque membre du Club peut bénéficier de l'expérience des autres.

Anne-Marie est ma nouvelle meilleure amie. (Mon ancienne meilleure amie était Suzie Granger, à Hull.) Elle habite juste à côté de chez Christine, sa meilleure amie depuis toujours. Mais maintenant, elle a une deuxième meilleure amie : moi.

Je crois que ce qui a contribué à nous rapprocher, c'est que peu de temps après que nous eûmes fait connaissance, nous avons découvert que son père et ma mère ont fréquenté le même collège et mieux encore, qu'ils sortaient ensemble. Anne-Marie et moi avons trouvé leur album souvenir dans lequel ils s'écrivaient toutes sortes de choses romantiques.

Mais ce qu'il y a de plus extraordinaire dans cette histoire, c'est qu'ils ont recommencé à se voir. (La mère d'Anne-Marie est morte alors que celle-ci était toute petite.) Anne-Marie et moi, nous avons peine à croire que nos parents sortent ensemble. C'est tellement excitant ! Cette relation ne peut avoir qu'un effet tonique sur eux. M. Lapierre est un homme sévère et solitaire qui gagnerait à s'amuser un peu dans la vie. Quant à Maman, elle aussi a besoin de se changer les idées. Elle est si triste depuis le divorce.

Mme Picard enfile son manteau tout en me faisant ses recommandations.

— Marjorie est en train de faire ses devoirs. Elle devrait descendre bicntôt. Margot s'amuse dans la salle de jeu et Nicolas est chez les Barrette, avec Bruno. Connais-tu les Barrette ?

Je secoue la tête.

— Ils habitent à quelques maisons d'ici. Les enfants font constamment la navette entre les deux maisons. Nicolas va probablement revenir ici avec Bruno d'un moment à l'autre. Il n'est pas nécessaire d'avertir Mme Barrette. Elle n'est pas du genre à s'inquiéter et, de toute façon, elle saura probablement que son fils est ici.

— D'accord, dis-je.

— Bon, je me sauve, dit Mme Picard en embrassant Claire. À tantôt mon petit canard. Salut les filles ! lance-t-elle à Marjorie et à Margot en sortant de la maison.

— Allons voir ce que fait Margot, dis-je à Claire.

Elle hoche la tête et me suit jusqu'à la salle de jeu.

Nous trouvons Margot en train de donner un spectacle devant un public imaginaire. Coiffée d'un énorme chapeau de paille et habillée d'une longue robe à volants, elle danse au son de *Casse-Noisette*, qui joue à tue-tête.

Nous nous assoyons sur le canapé et nous faisons semblant d'être des spectatrices. Lorsque la musique s'arrête, Margot fait une révérence et nous l'applaudissons avec enthousiasme.

— Bravo ! crions-nous, Claire et moi. Bravo !

Pendant que Margot nous salue de nouveau, j'entends Marjorie qui descend à la cuisine.

— J'ai terminé mes devoirs, annonce-t-elle. Est-ce que je peux prendre une collation, Diane ?

— Bien sûr, dis-je. Nous allons te rejoindre.

— Alors, Diane, comment ça va dans votre nouvelle vieille maison ? demande Marjorie en croquant dans une *Barre tendre* lorsque nous sommes toutes installées autour de la table de cuisine.

Claire et Margot pouffent de rire. Marjorie a baptisé notre demeure la « nouvelle vieille maison » et les deux petites trouvent cela amusant. Mais, Marjorie a raison. J'habite dans une nouvelle vieille maison. Bien qu'elle soit nouvelle pour notre famille, elle date du dix-huitième siècle. Je l'aime beaucoup, même si les corridors sont sombres, que l'escalier est étroit et que les cadres de porte sont bas. Ça me fait plaisir de penser que cette maison a été témoin de toutes sortes d'événements historiques. Je suis même prête à parier qu'elle cache un passage secret derrière ses murs.

— Ça va très bien, dis-je.

— Et comment va ta mère ? demande Marjorie en me regardant d'un air entendu.

Marjorie suit l'idylle entre M. Lapierre et ma mère avec beaucoup d'intérêt. Elle aime surtout entendre parler de la période où ils étaient amoureux et des circonstances qui les ont éloignés l'un de l'autre. Mais je dois dire que je n'en sais pas beaucoup à ce sujet. J'ai beau interroger ma mère sur les causes de leur rupture, ses réponses sont toujours vagues. Il semblerait que les parents de Maman ne trouvaient pas les Lapierre assez bien pour leur fille, vu qu'ils n'avaient pas beaucoup d'argent (mes grands-parents sont très, très riches). Leurs études les ont menés sur des chemins différents et ils se sont perdus de vue. Puis, M. Lapierre a rencontré la mère d'Anne-Marie et ma mère a rencontré mon père.

Le reste de l'histoire, c'est que mes parents se sont mariés mais, au lieu de vivre heureux jusqu'à la fin de leurs jours, ils ont divorcé. Ils n'étaient pas faits l'un pour l'autre : Papa est extrêmement méthodique et ordonné, tandis que Maman a toujours la tête dans les nuages. Julien et moi, nous sommes habitués à retrouver des bols à mélanger dans la lingerie ou à la voir repriser des vêtements que nous ne portons plus depuis deux ans. Et bien que nous ayons emménagé dans notre nouvelle vieille maison depuis déjà plusieurs mois, il y a encore une énorme pile de boîtes non déballées dans la salle à manger.

Maman est une personne absolument merveilleuse, mais ses habitudes ont fini par détruire leur couple. Je ne dis pas qu'elle est la seule responsable du divorce. Je dis seulement qu'elle est terriblement désorganisée et que Papa ne pouvait plus le supporter.

— Maman va bien. Elle sort toujours avec M. Lapierre...

— Super ! s'exclame Marjorie.

— Et elle a commencé à se chercher du travail. Elle passe beaucoup d'entrevues...

Nous sommes interrompues par un bruit sourd, suivi d'un cri. Ça semble venir d'en avant. Nous nous précipitons toutes les quatre vers la porte et nous trouvons Nicolas Picard, en compagnie d'un petit garçon de son âge et d'une fillette pleurant à chaudes larmes.

— Suzon ! s'écrie Marjorie. C'est Suzon Barrette et son frère Bruno.

— Elle est tombée en montant les marches, nous informe Bruno. Je crois qu'elle s'est éraflé le genou.

Je sors sur le perron et je remonte le pantalon de Suzon. Effectivement, elle a une grosse écorchure sur le genou gauche.

— Je m'appelle Diane, lui dis-je. Viens avec moi à l'intérieur. Nous allons nettoyer ta blessure, puis nous mettrons un diachylon dessus. D'accord?

— Merci, répond Suzon en reniflant.

— Je vais chercher le diachylon, dit Nicolas en courant à la salle de bains.

Il revient avec un diachylon à motifs de dinosaures, que j'applique soigneusement sur le genou de Suzon. Elle en est si fière qu'elle garde sa jambe de pantalon remontée pour que tout le monde puisse le voir.

Suzon et Bruno demeurent chez les Picard tout le reste de l'après-midi. Les trois petites jouent à la poupée, tandis que Marjorie aide les deux garçons à construire un village de dinosaures.

Mme Picard rentre à dix-sept heures quinze et j'ai juste le temps de me rendre à la réunion du Club des baby-sitters. Je dis au revoir aux enfants, puis j'enfourche ma bicyclette. Chemin faisant, je décide d'aller chercher Anne-Marie.

Comme je tourne dans l'entrée de garage des Lapierre, Anne-Marie sort de la maison en courant.

— Devine quoi ! J'ai une grande nouvelle ! crie-t-elle.

— Qu'est-ce que c'est, Anne-Marie ? Vite, parle !

— Papa vient juste d'appeler. Il m'a dit de ne pas l'attendre pour souper...Il a invité ta mère au restaurant !

— Oh, la la ! Un autre rendez-vous ! C'est fantastique !

— Oui ! Et ce qui est très bon signe, c'est que Papa a agi sur l'impulsion du moment. Vois-tu, il a l'habitude de tout planifier des semaines à l'avance. Mais là, il a eu l'idée il y a cinq minutes et il a appelé ta mère tout de suite. Il vient juste de me téléphoner pour m'avertir. J'ai peine à le croire.

— Il est presque dix-sept heures trente, dis-je en regardant ma montre. Nous devrions traverser chez Claudia.

Anne-Marie hoche la tête en souriant d'un air presque béat. Elle est si heureuse depuis que M. Lapierre sort avec ma mère. En effet, il ne concentre plus toute son attention sur sa fille. Auparavant, il réglementait sa vie : elle devait coiffer ses cheveux en nattes et porter les vêtements qu'il lui achetait ; elle n'avait pas le droit de parler au téléphone après le souper ; elle devait rentrer à vingt et une heures, et ainsi de suite.

Il avait déjà commencé à changer juste avant de revoir Maman, mais maintenant, il est complètement différent. Il a laissé Anne-Marie s'acheter des lentilles cornéennes pour remplacer ses lunettes. Il lui permet de dépenser l'argent qu'elle gagne en gardant ét, comme il la laisse maintenant choisir ses vêtements, vous devriez voir ce qu'Anne-Marie s'achète avec son argent. Naturellement, ce n'est pas comparable aux toilettes de Claudia et Sophie. Mais aujourd'hui, par exemple, elle porte sa première paire de jeans avec un superbe sweat-shirt. Elle est jolie comme un coeur.

— Tu sais ce que j'ai l'intention de faire? me demande-t-elle en souriant.

— Non.

— Je vais refaire ma chambre. J'ai toujours cru que je ne pourrais changer mon décor que si mon père perdait la tête un jour. Eh bien, je crois que ça y est, grâce à ta mère.

— Merci! dis-je en feignant d'être insultée.

— Oh! Tu sais très bien ce que je veux dire. Je trouve cela merveilleux.

— Qu'est-ce qui est merveilleux? Que ton père ait perdu la tête ou qu'il sorte avec ma mère?

— Les deux, dit Anne-Marie en gloussant. Mais pour en revenir à ma chambre, je veux me débarrasser de tout ce qui fait bébé et accrocher des affiches et des photos sur les murs. C'est tout ce que mes moyens me permettent. Pour le reste, je devrai convaincre Papa. Vois-tu, je veux un nouveau couvre-lit, une nouvelle carpette et de nouveaux rideaux. Je veux aussi changer le papier peint. Toute ma chambre est rose et je ne peux plus supporter le rose!

Je sonne à la porte des Kishi, et c'est Josée, la soeur de Claudia, qui vient nous ouvrir. Anne-marie et moi échangeons un regard. Tout le monde cherche à éviter Josée, car elle est très intelligente (en fait, c'est un génie) et elle ne cesse de nous reprendre chaque fois que nous ouvrons la bouche.

— Salut, Josée, dis-je.

— Bonjour ! Je suppose que vous avez une réunion de votre Club. Claudia est dans sa chambre.

Sans lui laisser la chance d'entrer dans un de ses discours interminables sur la langue française, nous nous empressons de monter à la chambre de Claudia. Celle-ci est assise sur son lit, pendant que sa grand-mère, Mimi, brosse ses longs cheveux noirs et soyeux.

— Bonjour, les filles ! dit Mimi, avec son mignon petit accent asiatique. C'est l'heure de votre réunion ?

— Oui, répond Anne-Marie en l'embrassant.

Elle et Mimi sont de grandes amies.

— Eh bien, je vous laisse.

Sophie arrive sur ces entrefaites et, quelques secondes plus tard, c'est au tour de Christine.

— Bonjour tout le monde ! lance Christine. C'est le jour des cotisations. Avez-vous apporté votre argent ? Sophie, astu la petite caisse ?

Christine ne perd jamais de temps. Elle est très efficace et parfois même un peu autoritaire. Mais je sais par Anne-Marie qu'elle essaie d'améliorer cet aspect de sa personnalité.

— Voilà tout notre avoir, déclare Sophie en vidant le contenu d'une enveloppe sur le lit. Il y a exactement sept dollars et cinquante cents.

Chacune de nous sort cinquante cents, notre cotisation hebdomadaire, ce qui porte le total à dix dollars.

— Pas mal, dit Christine. Nous devrions peut-être acheter quelques articles pour les Trousses à surprises.

Les Trousses à surprises sont des boîtes que nous emportons avec nous lorsque nous allons garder. Elles contiennent des jeux, des jouets, des cahiers à colorier, des casse-tête et d'autres articles que nous remplaçons de temps à autre et que nous payons avec nos cotisations. C'est un investissement très rentable, qui contribue grandement à notre succès. En effet, les enfants adorent nos Trousses à surprises. Mon père avait l'habitude de dire : « Pour faire de l'argent, il faut en dépenser. » Et c'est un homme d'affaires très pros père. Je suppose que Christine a elle aussi le sens des affaires.

Le téléphone sonne.

— Club des baby-sitters, bonjour, répond Claudia. Samedi ? De quinze heures à dix-sept heures ? Je vérifie et je vous rappelle dans quelques minutes. Au revoir.

Anne-Marie a déjà ouvert l'Agenda.

— Ce samedi ? demande-t-elle.

— Non, samedi prochain, répond Claudia. M^me^ Prieur a besoin de quelqu'un pour garder Jeanne pendant deux heures. Qui est libre ?

Un des règlements du Club des baby-sitters exige que toutes les demandes de service reçues pendant les réunions soient soumises au groupe. Ainsi, les chances sont égales pour tout le monde. Cependant, si on nous appelle chez nous, à n'importe quel autre moment, nous pouvons prendre ces engagements sur-le-champ.

— Nous le sommes toutes, répond Anne-Marie après avoir vérifié dans l'Agenda.

— Eh bien, oubliez-moi, annonce Claudia. Je...je dois aller magasiner ce jour-là.

— Moi aussi, ajoute Sophie.

— Je crois que...j'ai promis à David de l'emmener au cinéma, dit Christine.

David est le petit frère de Christine. (Elle a aussi deux autres frères plus âgés qu'elle, Charles et Sébastien.) D'après ce que j'en sais, elle n'a jamais été au cinéma avec David.

— Anne-Marie, tu peux accepter cet engagement, si tu le veux, dis-je d'un ton bienveillant.

La vérité, c'est qu'aucune d'entre nous, à part Anne-Marie, ne peut supporter Jeanne Prieur. C'est une enfant gâtée qui a des parents un peu excentriques. Mais, pour une raison que nous ignorons toutes, Anne-Marie n'a aucune difficulté avec Jeanne et s'entend bien avec les Prieur.

Nous recevons ensuite un appel de M^me Mainville qui a besoin d'une gardienne pour son petit Jonathan, âgé de quatre ans. Puis, Guillaume Marchand, le futur beau-père de Christine nous téléphone. Naturellement, nous laissons cet engagement à Christine.

La mère de Christine, qui est divorcée depuis quelques années, a commencé à fréquenter Guillaume (c'est ainsi que nous l'appelons) l'année dernière. Il est immensément riche et habite un véritable château, à l'autre extrémité de la ville. Divorcé, lui aussi, il a deux enfants : Karen et André. Ils vivent avec leur mère, mais ils sont en visite chez leur père une fin de semaine sur deux. Christine les aime beaucoup et comme elle deviendra très bientôt leur demi-soeur, nous la laissons toujours aller garder chez Guillaume quand elle est disponible.

Le téléphone sonne de nouveau et c'est moi qui réponds.

— Allô? dit une voix incertaine au bout du fil. M^me Picard m'a donné votre numéro. J'ai besoin d'une gardienne. En fait, je vais en avoir besoin très souvent, et votre organisation m'a été chaudement recommandée.

— Eh bien, merci beaucoup, dis-je. Puis-je vous poser quelques questions?

Christine et les autres membres du Club m'ont enseigné la marche à suivre avec les nouveaux clients.

— Combien d'enfants avez-vous?

— Trois. Bruno, l'aîné, a sept ans. Suzon a quatre ans et Marilou, la petite dernière, a un an et demi.

— Bruno et Suzon, dites-vous? Mais je les connais! Vous êtes sans doute M^me^ Barrette?

— Oui.

Je lui raconte alors dans quelles circonstances j'ai rencontré Bruno et Suzon, puis j'enchaîne avec d'autres questions.

— Je dois ajouter, dit-elle, que mon mari et moi venons tout juste de divorcer et que les enfants le prennent très mal. Je me cherche actuellement un emploi et j'ai bien peur de ne pas être une personne très organisée.

En fin de compte, je suis la seule disponible pour prendre cet engagement. Au fond, je suis contente. Je connais à peine les jeunes Barrette, mais déjà je me sens proche d'eux.

En rentrant à la maison, je croise Maman qui s'en va rencontrer M. Lapierre.

— Je serai de retour dans quelques heures. Le souper est prêt, dit-elle en m'embrassant.

— D'accord. Amuse-toi bien et salue M. Lapierre de ma part. Maman !

— Oui ?

— Regarde-toi. Il te manque une boucle d'oreille et tu n'as pas enlevé l'étiquette sur ta jupe.

— Mon Dieu ! s'écrie ma mère. Heureusement que tu es là, Diane.

Elle arrache l'étiquette et se tourne vers la porte.

— Maman, ton autre boucle d'oreille.

— Oh ! Eh bien, je m'en passerai. Je n'ai pas le temps de chercher l'autre, dit-elle en me tendant celle qu'elle vient d'enlever.

Sur ce, elle sort en coup de vent.

Je suspends mon manteau et je fais le tour du salon pour ramasser ce qui ne fait pas partie du décor : un vaporisateur de fixatif, un pot de café instantané et une louche. Parfois, toute la maison ressemble au jeu « Trouvez l'erreur ». Je vais ranger le fixatif dans la salle de bains et j'emporte le reste à la cuisine. Quelque chose mijote sur la cuisinière. Je soulève le couvercle : de la ratatouille.

— Julien…

— Il y a de la pizza dans le congélateur, crie Julien depuis la salle de télévision. Ce sera certainement meilleur qu'un restant de ratatouille.

Je suis entièrement d'accord. Je mets donc la pizza au four, puis je m'installe à la table pour commencer mes devoirs. Quelques minutes plus tard, la sonnerie du four retentit.

— Julien ! C'est prêt !

Mon frère s'arrache enfin de la télévision. Pendant qu'il sort les assiettes et les ustensiles, je range la casserole de ratatouille au frigo et je découpe la pizza en quatre pointes égales. Comme je m'apprête à prendre ma première bouchée, le téléphonne sonne.

— Salut ! dit Anne-Marie. Qu'est-ce que tu fais ?

— Je viens juste de me mettre à table, dis-je en dévorant ma pointe de pizza des yeux.

— Oh ! Excuse-moi. Écoute ! Je viens d'avoir une bonne idée. Que dirais-tu de m'aider à refaire la décoration de ma chambre ?

— Oh, oui ! Ce serait amusant. Tu sais, nous avons un tas de choses que nous n'utilisons plus parce qu'il n'y a pas assez d'espace dans la maison. Je sais qu'il y a des affiches quelque part au grenier, et une jolie petite lampe…et des coussins aussi.

— Mais, que dira ta mère ? demande Anne-Marie, sur un ton inquiet.

— Rien, je t'assure. Elle avait même l'intention d'organiser une vente d'objets usagés. Mais, comme j'ai tout rangé au grenier, je suis certaine qu'elle a oublié.

— Bien...hésite Anne-Marie.

— Qu'est-ce que tu dirais si j'allais chez toi samedi? J'apporterai certaines choses et si elles te plaisent, tu pourras les utiliser. Sinon, nous trouverons d'autres solutions.

— Entendu, convient Anne-Marie, d'un ton plus enthousiaste.

Plus tard, tout en mangeant ma pizza, je fais une liste de ce qui pourrait intéresser Anne-Marie : des affiches, une lampe, des cousssins. Je crois même qu'il y a un couvre-lit quelque part.

Samedi matin, j'ai tellement de bagage que Maman vient me reconduire chez les Lapierre. Je dois dire que cela m'arrange car ainsi, Anne-Marie saura que ma mère ne voit aucun inconvénient à lui donner toutes ces choses. De plus, cela donnera à M. Lapierre et à ma mère une autre occasion de se voir.

Malheureusement, le père d'Anne-Marie n'est pas là. Mais au moins, Maman rassure Anne-marie.

— J'espère que ces articles te seront utiles. Nous n'avons pas de place chez nous pour les garder. De plus, j'aime mieux les donner à quelqu'un que je connais plutôt qu'à des étrangers.

— Merci beaucoup, Mme Vernon, dit Anne-Marie, visiblement soulagée. C'est très gentil de votre part. Papa sera plus heureux s'il n'a pas à débourser trop d'argent.

— Je sais, répond ma mère en souriant. Ton père est un peu près de ses sous. Allez, je vous laisse à vos projets.

Après son départ, nous transportons les boîtes jusqu'à la

chambre d'Anne-Marie et nous les déposons sur le lit. Anne-Marie s'empresse de les ouvrir et sort d'abord trois grands rouleaux.

— Je crois que ce sont des affiches, dis-je.

Anne-Marie les déroule lentement, avec beaucoup de soin.

— Oh ! s'exclame-t-elle. « Londres, la nuit ». Comme c'est beau. Je voulais justement une affiche illustrant une ville célèbre.

Elle en déroule une autre et la regarde dans tous les sens sans trop savoir de quoi il s'agit.

— Laisse-moi voir, dis-je. Oh ! C'est la carte d'astronomie de mon père. Je suppose qu'il n'en voulait plus. Tu vois, ici tu as les constellations et là, les planètes. Ça te plaît ?

— Je trouve cela superbe, mais je ne suis pas certaine que ça corresponde à ma personnalité.

— Eh bien, tu n'as pas à décider tout de suite.

— Hé les filles ! Qu'est-ce que vous faites ? crie soudain une voix pendant que nous continuons à inspecter le contenu des boîtes.

En regardant par la fenêtre de la chambre d'Anne-Marie, nous apercevons Christine qui est à sa fenêtre.

— Salut, Christine ! crie Anne-Marie. Nous sommes en train de refaire la décoration de ma chambre. Tu veux venir nous rejoindre ?

— J'arrive.

Christine disparaît de sa fenêtre et, quelques minutes plus tard, nous entendons la porte d'entrée s'ouvrir et se refermer.

— Salut ! Ça alors, mais qu'est-ce que c'est que tous ces trucs ?

— Ce sont des choses qui viennent de l'ancienne maison

de Diane, à Hull, et comme ils n'en n'ont plus besoin, Diane a pensé que je pourrais m'en servir. Tu sais, Papa a accepté de me laisser décorer ma chambre à mon goût.

— Pourquoi ne m'as-tu pas dit que tu voulais refaire ta chambre ? demande Christine, offensée.

— Je...je ne sais pas.

— Moi aussi j'ai des choses qui pourraient t'intéresser. Si tu veux, je te donnerai l'affiche que nous avons faite ensemble l'année dernière pour le cours d'arts plastiques.

— Tu l'as conservée ? Oh ! C'est super ! s'exclame Anne-Marie.

— Nous pourrions aussi peindre ces horribles cadres roses et les décorer à l'aide du jeu de pochoirs que j'ai reçu en cadeau de Guillaume.

— Oh, oui ! C'est génial !

Christine me décroche un petit sourire narquois. Je me sens complètement rejetée.

Nous continuons à élaborer des plans pendant plusieurs heures, mais je constate deux choses : premièrement, Christine s'adresse toujours à Anne-Marie et m'ignore totalement ; deuxièmement, elle rit uniquement aux commentaires d'Anne-Marie et fait semblant de ne pas entendre quand je dis quelque chose de drôle.

Je commence à m'inquiéter. J'ai l'impression que Christine ne me porte pas dans son coeur. Et si c'est le cas, je me trouve dans une situation plutôt délicate, étant donné que je suis membre du Club des baby-sitters et que Christine en est la présidente.

Quand j'ai rencontré Anne-Marie Lapierre pour la première fois, elle était assise toute seule à la cafétéria. Nous venions tout juste d'emménager à Nouville et c'était ma deuxième journée à l'école. Les membres du Club des babysitters s'étaient disputées et ne se parlaient même pas. Elles mangeaient toutes avec des groupes d'amis différents, sauf Anne-Marie, qui elle, n'avait pas d'autres amis.

Normalement, Anne-Marie mange avec Christine et les jumelles Bergeron. Parfois, je me joins à elles et d'autres fois, je m'installe à la table de Claudia et de Sophie avec un groupe complètement différent, composé de filles et de garçons. Anne-Marie et Christine trouvent les garçons stupides, mais ce n'est pas le cas de Claudia et de Sophie. Quant à moi, je n'ai pas encore d'opinion précise à ce sujet.

Lundi, je m'assois avec Anne-Marie, Christine, Maria et Muriel Bergeron, même si Christine me jette un regard glacial et cherche à m'exclure de la conversation. Mais je décide de lui servir sa propre médecine. Après quelques minutes, je soupire d'un air rêveur.

— Qu'est-ce qu'il y a? demande Maria.

— Oh...le père d'Anne-Marie et ma mère sont sortis ensemble en fin de semaine... deux fois.

— Vraiment? s'exclament les jumelles en choeur.

Nous échangeons un sourire complice, Anne-Marie et moi. Christine fait la moue.

— Qu'est-ce qu'ils ont fait? demande Muriel.

— Samedi soir, ils sont allés au restaurant et au cinéma. Dimanche matin, ils se sont retrouvés à un brunch, dans un nouvel établissement.

— Avez-vous déjà pensé que si vos parents se mariaient, vous deviendriez...des demi-soeurs! dit soudain Muriel.

Cette constatation est suivie d'un long silence. Je regarde Anne-marie. Nous sommes complètement abasourdies. Demi-soeurs!

— Je n'avais jamais pensé à ça, dis-je doucement.

— Moi non plus, fait Anne-Marie.

— Moi, si, murmure Christine.

— J'aurais un frère et une soeur! dis-je.

— Et moi qui ai toujours voulu avoir une soeur! s'exclame Anne-Marie.

— Je croyais que tu me considérais comme ta soeur, remarque Christine.

Personne ne s'occupe d'elle. Personne, sauf moi. Je l'observe attentivement pendant quelques secondes. Elle a l'air triste.

Et soudain, je sais pourquoi.

Christine n'est pas en colère contre moi. Elle ne me déteste pas. Elle est jalouse! Auparavant, elle était la seule véritable amie d'Anne-Marie. Mais depuis que je suis là, Anne-Marie dépend moins d'elle. Christine essaie de me mettre de côté parce qu'elle-même se sent déjà rejetée.

Je n'ai qu'à penser au projet de décoration de la chambre d'Anne-Marie. J'ai tout pris en charge et nous n'en avons même pas parlé à Christine. Avant mon arrivée à Nouville, c'est Christine qu'Anne-Marie aurait consultée.

J'ai des remords. Que pourrais-je faire pour que Christine se sente mieux ? D'ailleurs, si je lui fais comprendre que je ne cherche pas à prendre sa place, elle sera peut-être mieux disposée à mon égard.

Sans le savoir, Maria m'ouvre une porte.

— Ils vont peut-être se marier et Anne-Marie et toi, vous serez les demoiselles d'honneur et vous porterez de belles robes longues, dit-elle, sur un ton rêveur.

— Ta mère se marie bientôt, Christine, n'est-ce pas? dis-je.

— À l'automne, probablement, répond-elle en me regardant d'un air à la fois étonné et reconnaissant.

— Tu auras alors un nouveau petit frère et une nouvelle petite soeur, non?

— C'est ça, en plus de mes trois frères.

— Ça alors, vous allez former une famille nombreuse.

Oui, ajoute Anne-Marie. Tu auras quatre frères et une soeur.

— Karen et André sont merveilleux, déclare Christine, en souriant.

— Mais comment allez-vous faire pour tous habiter dans votre maison? demande Muriel.

C'est une bonne question. La maison des Thomas n'est pas très grande. Bien qu'il y ait quatre chambres à coucher, celle de David tient plutôt du cagibi.

— Oh, Karen et André n'habiteront pas avec nous. Ils vivent avec leur mère. Guillaume ne les a qu'une fin de semaine sur deux et quelques semaines pendant les vacances d'été.

— Où logeront-ils lorsqu'ils seront en visite? demande Muriel.

— En fait, nous n'aurons pas à nous tasser, car nous déménageons.

— Dans un château, dis-je.

— Un vrai château? fait Muriel, les yeux écarquillés.

— Presque, répond Christine.

— J'y suis allée, déclare Anne-Marie. C'est immense. Aurez-vous chacun votre propre chambre?

— Certainement. Il y a neuf chambres à coucher chez Guillaume.

— Est-ce que tu vas pouvoir refaire la décoration? Changer les rideaux et le papier peint?

— Je suppose que oui, répond Christine en haussant les épaules. Mais au fond, ce que je veux vraiment, c'est garder ma chambre telle qu'elle est actuellement.

Christine ne semble pas enchantée de la tournure de la conversation. Je fais donc une autre tentative en vue de me montrer gentille.

— Christine et moi, nous aidons Anne-Marie à refaire sa chambre, dis-je.

Mais les jumelles ne semblent pas du tout intéressées.

— Pourquoi voudrais-tu garder ta chambre intacte? demande Maria. Tu vis dans ce décor depuis des années.

— Imagine, on te permettrait probablement de choisir tout ce dont tu as envie, dis-je. Tu pourrais...

Christine dépose tranquillement son sandwich sur sa serviette en papier et l'emballe méticuleusement tout en me regardant.

— J'ai dit que ce que je veux, c'est garder mes affaires comme elles sont, à l'endroit où elles se trouvent. Alors laisse tomber, veux-tu ? articule-t-elle froidement.

Sur ce, elle se lève, ramasse son sac et s'en va.

Je regarde Anne-Marie d'un air interrogateur.

— Elle ne veut pas déménager, dit-elle doucement avant même que je puisse demander ce que j'ai dit de mal.

— Oh !

Je viens de commettre une autre erreur. Et soudain, je me rends compte que Christine vient de me laisser savoir que je suis encore une étrangère, du moins à sa table.

Après la classe, je marche avec Anne-Marie jusque chez elle. Nous discutons encore de l'éventualité de devenir demi-soeurs lorsque nous apercevons Christine devant nous.

— Hé ! Christine ! Attends-nous ! crie Anne-Marie en courant.

Christine nous attend en faisant mine d'être absorbée par un caillou qu'elle pousse du pied. Je sais bien qu'elle aimerait mieux me voir ailleurs.

— Est-ce que tu gardes cet après-midi ? lui demande Anne-Marie.

— Oui. Je garde Jonathan. Et vous, qu'est-ce que vous faites ?

— Nous...nous...commence Anne-Marie, sans savoir comment terminer sa phrase.

Le problème, c'est que nous allons travailler à la décoration de sa chambre et qu'elle vient de réaliser que c'est un sujet délicat.

— Vous continuez la décoration de ta chambre ? demande Christine.

Anne-Marie hoche la tête.

— C'est ce que je croyais.

— C'est dommage que tu gardes, dis-je. Autrement, tu

pourrais venir nous aider.

— Oui, c'est vraiment dommage, réplique Christine, sur un ton sarcastique.

Je regarde Anne-Marie qui me répond par un haussement d'épaules.

— Tu veux nous aider demain?

— Je ne peux pas. Je garde David.

— Bon. Eh bien, nous te verrons tout à l'heure, à la réunion.

— C'est ça, répond-elle en s'engageant dans l'entrée des Mainville.

Anne-Marie et moi poursuivons notre chemin.

— Pourquoi est-elle fâchée? demande Anne-Marie.

— Elle n'est pas fâchée. Elle est jalouse.

Le mardi 28 avril, il fait un temps splendide. Je considère cela comme un bon présage, car je garde Bruno, Suzon et Marilou Barrette pour la première fois.

Lorsque je sonne chez les Barrette, c'est Suzon qui vient m'ouvrir.

— Bonjour, Suzon. Je suis Diane. Tu te souviens, c'est moi qui ai soigné ton genou l'autre jour ?

Elle fait signe que oui de la tête.

— Eh bien, je vais te garder aujourd'hui. Ta maman est-elle là ?

Suzon hoche la tête de nouveau. Au même moment, j'aperçois une petite tête blonde derrière elle.

— Et toi, je parie que tu es Marilou, dis-je en entrant dans la maison.

Pendant que les deux fillettes m'examinent en silence, Bruno arrive en galopant, coiffé d'un chapeau de cow-boy et chaussé de palmes.

— Bang ! Bang ! Tu es morte ! crie-t-il en pointant un pistolet à eau vers moi.

Je fronce les sourcils, puis je me penche et je lui enlève doucement le pistolet des mains.

— Bonjour. Je suis Diane Dubreuil. Nous nous sommes déjà rencontrés chez les Picard. Je suis ta nouvelle gardienne et j'ai horreur des fusils. Alors, quand je suis ici, pas de pistolet. Cela s'applique également à vous deux, dis-je en m'adressant à Suzon et à Marilou.

Suzon hoche la tête et Marilou me dévisage de ses grands yeux bleus.

Je remarque qu'il manque un bouton à la robe de Suzon et que la couche de Marilou semble pesante. Le chandail de Bruno porte des traces de son déjeuner et les trois enfants auraient grandement besoin d'un coup de peigne.

Je jette un coup d'oeil dans le salon. On dirait qu'il a été dévasté par une tornade. Des journaux et des jouets traînent partout. Des assiettes vides sont empilées sur une table et du liquide rouge a été répandu sur une autre. Je croyais que notre maison était en désordre, mais ce n'est rien à côté de celle des Barrette.

À la cuisine, le spectacle est aussi désolant. Le lavabo déborde de vaisselle, de casseroles, de serviettes en papier et de contenants de dîners surgelés. La table n'a pas été desservie et je peux dire sans me tromper ce que les Barrette ont mangé pour déjeuner car les restes sont incrustés dans les assiettes et les verres.

Je n'ai pas encore terminé mon inspection lorsque j'entends des pas dans l'escalier. Je me retourne et j'aperçois une superbe jeune femme.

Elle porte un tailleur noir avec un chemisier de soie blanc, des souliers noirs et des bijoux en or. Ses cheveux châtains tombent en boucles soyeuses sur ses épaules. Elle est aussi belle qu'un mannequin.

— Diane? demande-t-elle, un peu essoufflée.

— Oui. Bonjour, M$^{me}$ Barrette.

— Je te remercie d'être venue, dit-elle en m'adressant un sourire chaleureux.

Elle embrasse ensuite les enfants à tour de rôle et se précipite vers la porte.

— Au revoir, mes chéris. Soyez sages.

— Oh, un instant, dis-je. Où serez-vous?

– Je vais passer une entrevue pour un emploi et je suis déjà en retard. Bruno, sois gentil, fais entrer Salami. Je l'entends geindre.

— M$^{me}$ Barrette, qu'est-ce que je dois faire cet après-midi? Avez-vous des instructions spéciales à me donner?

— Euh...non. Tu n'as qu'à prendre soin des enfants.

— Où est-ce que je peux vous joindre en cas d'urgence?

— Je serai chez Masson et Masson, sur la 40$^{e}$ Avenue. Si tu as des problèmes, appelle M$^{me}$ Picard, d'accord?

Je n'ai même pas le temps de répondre. M$^{me}$ Barrette est déjà au volant de sa voiture. Je regarde les trois enfants qui m'observent attcntivement.

— Eh bien, les enfants, que diriez-vous de faire une surprise à votre mère?

— Oh! oui! s'écrie Bruno.

— Nous allons nettoyer la maison.

— Tu es certaine que c'est une surprise, ça? demande Bruno, sceptique.

— J'en suis certaine. Mais d'abord, fais entrer Salami. Je vous dirai ensuite ce que nous allons faire.

Bruno disparaît et revient quelques secondes plus tard avec un basset obèse, à l'air endormi.

— C'est Salami, le chien le plus méchant de la planète.

Pour l'instant, Salami ne semble pas à la hauteur de sa

réputation. Sans même me regarder, il grimpe péniblement sur le canapé, se couche et s'endort presque instantanément.

— Bon, êtes-vous prêts à jouer à la Course au rangement? Nous allons remettre de l'ordre dans le salon et je vais nous chronométrer. Remettez à leur place tous les objets qui ne vont pas dans le salon. Ensuite, rangez le reste. Travaillez rapidement, mais prenez garde de ne rien briser. Nous serons obligés d'ajouter du temps à notre pointage si nous cassons quelque chose.

Je regarde ma montre.

— À vos marques!

Suzon, Bruno et moi allons nous poster à l'entrée du salon pendant que Marilou nous regarde sans comprendre ce qui se passe.

— Prêts!

Nous nous mettons en position.

— PARTEZ!

Nous nous précipitons dans le salon. Bruno trouve trois assiettes qu'il s'empresse de porter à la cuisine.

— Rapporte une éponge!

Il revient en courant et me lance l'éponge. Pendant que j'essuie la table, Suzon ramasse les journaux.

— Est-ce que ta maman conserve les journaux?

Suzon secoue la tête.

— Eh bien, empile-les et nous allons en faire un ballot pour la récupération.

Tout le monde s'affaire: je redresse les coussins du canapé, Suzon empile les journaux et Bruno ramasse les jouets, aidé de Marilou.

Au bout de quelques minutes, la pièce est impeccable, comme dans les magazines.

— Six minutes et dix-sept secondes, dis-je en regardant

ma montre.

— Est-ce que c'est un record ? demande Bruno.

— Ça pourrait bien en être un. Voulez-vous essayer de battre ce record en nettoyant la cuisine ?

— Oui ! Oui ! Oui ! crie Bruno.

Suzon sourit timidement et Marilou me regarde en clignant des yeux.

— Quand Marilou cligne des yeux, ça veut dire qu'elle est contente, m'informe Bruno.

— Bon, voici les instruction spéciales pour la course de la cuisine. Je m'occupe de remplir le lave-vaisselle pendant que vous m'apportez ce qu'il y a sur la table. Les déchets vont dans la poubelle et vous allez ranger à leur place tous les objets qui ne devraient pas se trouver dans la cuisine. D'accord ?

— D'accord ! répondent en choeur Bruno et Suzon.

— À vos marques ! Prêts ! Partez !

La cuisine demande plus de travail que le salon. Rincer les assiettes et les verres et les placer dans le lave-vaisselle prend plus de temps que prévu. Suzon nettoie le lavabo et jette les déchets à la poubelle pendant que Bruno balaie le plancher. Marilou trouve un sac de biscuits et commence à en manger. Je le lui enlève et à l'aide d'un essuie-tout, je lui montre comment éponger le plancher autour du bol de Salami.

Lorsque nous avons terminé, je regarde ma montre de nouveau.

— Eh bien, nous n'avons pas battu notre record. Il a fallu onze minutes et quarante-huit secondes.

— Zut ! s'exclame Bruno.

— Zut ! répète Suzon.

— Allons ranger la salle de jeu, suggère Bruno. C'est

encore pire qu'ici. Si nous battons notre record, ce sera un vrai miracle.

C'est ainsi que nous mettons également de l'ordre dans la salle de jeu. Mais là non plus, nous ne battons pas de record. M^me^ Barrette ne reconnaîtra pas sa maison lorsqu'elle rentrera.

Nous nous affalons tous les quatre sur le canapé. Lorsque Salami vient nous rejoindre, Bruno le vise avec son doigt.

— Bang ! Bang !

— Hé ! Je croyais t'avoir averti au sujet des fusils, dis-je en couvrant sa main avec la mienne.

— Et après? Ce n'est pas toi qui mènes ici, réplique Bruno.

— Quand c'est moi qui garde, c'est moi le patron. Et j'ai dit que je ne voulais pas de fusils.

— Pourquoi?

— Parce que les vrais fusils sont très dangereux. Ce ne sont pas des jouets. Et je ne crois pas que l'on devrait faire semblant de tuer des gens. Il y a un tas d'autres jeux auxquels on peut jouer.

— Comme quoi, par exemple?

— Eh bien, faisons semblant que je suis coiffeuse et que tu es père de famille. Suzon et Marilou sont tes enfants et tu as décidé de les emmener au salon de coiffure.

— C'est moi le papa? demande Bruno, après avoir considéré ma suggestion pendant quelques secondes.

C'est ainsi que je réussis à changer les idées de Bruno et à démêler les cheveux des deux filles. Bruno se laisse même peigner.

Vers dix-sept heures, les enfants commencent à être maussades. Suzon cesse de parler, Marilou pleurniche et Bruno crie après Salami.

— As-tu un papa? me demande soudain Bruno.

— Oui, dis-je, un peu surprise par sa question. Mais, il n'habite pas avec nous.

— C'est vrai? s'exclame Bruno.

— Oui. Il demeure en Californie, très loin d'ici.

— Nous non plus, nous n'avons pas notre papa, me confie Bruno.

— Mes parents sont divorcés, dis-je.

— Les nôtres aussi, répond Bruno.

Suzon, qui aide Marilou à empiler des blocs, nous regarde avec intérêt.

— Diane, combien de temps ça dure un divorce? me demande-t-elle.

— C'est pour toujours, dis-je.

— C'est ce que Maman a dit, mais...

— Tu espères quand même que ton papa reviendra à la maison?

— Oui, répondent Suzon et Bruno d'une seule voix.

— Moi aussi. Mais je sais qu'il ne reviendra plus jamais.

— Est-ce que tu t'ennuies de ton papa? me demande Bruno.

— Oui, beaucoup.

— Moi aussi, dit-il, en se blottissant contre moi.

Je pose un bras sur ses épaules et je tends l'autre à Suzon. Mais, au lieu de venir nous rejoindre sur le canapé, elle se lève d'un bond.

— Tu n'es qu'une menteuse! crie-t-elle en pointant son index vers moi. Une menteuse!

Puis, elle sort de la pièce en courant.

— Qu'est-ce que j'ai dit?

— Je crois qu'elle n'a pas aimé que tu dises que les papas partent pour toujours. Elle pense vraiment que notre papa va revenir habiter avec nous un jour.

— Eh bien, nous allons la laisser tranquille pendant un petit moment.

Finalement, Bruno s'installe devant la télé et je décide d'aller changer la couche de Marilou. Je monte à la chambre que partagent les filles, mais Suzon n'y est pas. Cependant, la porte de la salle de bains est fermée.

Je viens juste de terminer avec Marilou lorsque Suzon entrouvre la porte.

— Diane? J'ai...j'ai eu un accident, dit-elle, en sanglotant.

— Hé, ne t'en fais pas. Tout le monde peut avoir un accident.

Je dépose Marilou dans sa bassinette et je rejoins Suzon dans la salle de bains en fermant la porte derrière moi.

— J'ai mouillé ma culotte, gémit Suzon.

— Ce n'est rien, lui dis-je. Nous allons rincer tes sous-vêtements et te laver comme il faut. Puis, tu vas mettre une culotte propre et tout sera réglé.

Quelques minutes plus tard, Suzon a retrouvé son sourire.

Nous venons juste de descendre quand Mme Barrette rentre. Elle regarde autour d'elle, complètement ébahie.

— Diane, tu es une vraie fée! s'exclame-t-elle.

— C'est la meilleure gardienne! crie Bruno.

— Nous l'aimons beaucoup, renchérit Suzon.

— J'espère que tu reviendras, me dit Mme Barrette en me payant.

— Bien sûr. N'hésitez pas à m'appeler quand vous aurez besoin de moi.

Je n'aurais peut-être pas parlé si vite si j'avais su jusqu'à quel point elle aurait besoin de moi.

le samedi 2 mai

J'ai gardé Karen et André pendant quatre heures cet après-midi. Karen a invité une petite amie et nous avons tous joué au « Grand Hôtel ». Tout s'est bien déroulé, même si Mme Portal nous a fait une frousse. Bou-Bou en a tellement peur maintenant qu'il reste toujours à l'intérieur. Il a dormi dans l'une des chambres du deuxième étage presque tout l'après-midi. Il serait bon que vous sachiez que Karen est persuadée que le grenier est hanté. Ainsi, si jamais vous gardez chez Guillaume, vous saurez à quoi vous en tenir. J'essaie actuellement de la convaincre que ce n'est pas vrai... sans avoir à le visiter moi-même.

J'envie Christine. J'aimerais bien avoir André et Karen comme frère et soeur. Ils sont si mignons. Je les ai gardés une fois et nous nous sommes bien amusés.

Comme j'essaie sérieusement d'entretenir des rapports amicaux avec Christine, je lui ai demandé de me raconter son après-midi. Elle est toujours très volubile lorsqu'il s'agit de Karen et André. Voici ce qu'elle m'a dit :

— Est-ce que tu veux jouer au « Grand Hôtel », Christine? demande Karen, aussitôt après le départ de M. Marchand.

— Je veux bien, mais je crois qu'il n'y a pas assez de joueurs, dit Christine. Ne devrait-on pas être au moins quatre?

Le « Grand Hôtel » est un jeu que Karen a inventé. Elle vient tout juste d'avoir six ans et elle est extrêment intelligente. Elle a commencé l'école à l'automne et déjà, elle sait lire et compter aussi vite que moi.

Son jeu consiste à faire défiler des personnages qui viennent séjourner dans un hôtel luxueux. Karen confie toujours le rôle de réceptionniste à Christine (ou à la personne la plus âgée). Ensuite, elle, André et leurs amis entrent à tour de rôle, déguisés en employés de l'hôtel ou en visiteurs exotiques : femmes riches vêtues de fourrures, capitaines de navires, célébrités, etc. Karen et André ont une impressionnante garde-robe de costumes qu'ils revêtent selon le personnage qu'ils jouent. Et le salon de M. Marchand convient parfaitement aux besoins du jeu.

Comme je l'ai déjà mentionné, la maison de Guillaume ressemble à un château. Elle est remplie d'objets précieux, sans toutefois avoir l'air d'un musée. En effet, les enfants peuvent aller et venir dans toutes les pièces. Ils sont habitués à vivre dans ce décor somptueux et font attention.

Le salon est immense. On y retrouve un piano à queue, trois canapés, cinq fauteuils et plusieurs tables. Le plancher de bois verni est recouvert de carpettes orientales. En fait, si on utilise son imagination, la pièce a vraiment l'air d'un hall de grand hôtel.

— Je sais qui pourrait être la quatrième personne, dit Karen. Annie Papadakis.

Annie habite en face et est dans la même classe que Karen. Christine l'a rencontrée à plusieurs reprises et l'aime bien.

— D'accord, dit Christine. Tu peux l'inviter, mais je devrai d'abord parler à sa mère.

(Une gardienne avertie doit toujours faire part aux parents de ses plans concernant les tout jeunes enfants. Christine sait que les parents d'Annie ne voudront peut-être pas qu'elle vienne jouer dans une maison où les enfants sont sous la supervision d'une gardienne et non d'un parent.)

Mais Mme Papadakis ne voit pas d'inconvénient à ce qu'Annie traverse et, quelques minutes plus tard, celle-ci sonne à la porte.

— Nous allons jouer au « Grand Hôtel », lui annonce Karen en la faisant entrer.

Karen est quelquefois très autoritaire. Je suis étonnée qu'elle et Christine s'entendent si bien.

— Oh oui ! Mais, je veux être la comtesse de La Rochelière, déclare Annie, qui connaît bien le jeu.

— D'accord, consent Karen. Christine, va te placer derrière le comptoir. André, tu fais le chasseur.

Christine va donc s'asseoir par terre, derrière la table basse. Karen y a déjà placé un stylo, un cahier et une cloche.

— Annie, viens mettre le costume de la comtesse. André,

va chercher ta casquette et ton veston.

Les enfants montent se déguiser et redescendent quelques minutes plus tard. André porte une casquette rouge et un veston marine, orné de galons dorés. Annie a revêtu une jupe longue, des souliers à talons hauts et une voilette. D'une main, elle tient une lorgnette et de l'autre, un immense sac à main rouge. Karen, elle, est déguisée en Marilyn Mystérieuse, toute de noir vêtue. Elle a même une affreuse perruque noire sur la tête.

— En placc, tout lc monde ! crie Christine.

André va se poster à côté du « comptoir » de Christine, et celle-ci attend que l'un des visiteurs fasse son entrée.

Annie arrive en premier, en marchant aussi majestueusement que le lui permettent ses souliers trop grands.

— Bonjour ! dit-elle, d'une voix de soprano.

— Bonjour ! répond Christine. Bienvenue au Grand Hôtel, Madame la comtesse. Nous sommes très heureux de vous revoir.

— Oh ! Merci. Je ne resterai qu'une nuit cette fois-ci. Je vais retrouver le comte aux États-Unis. Nous allons à un bal, avec la reine.

— Comme c'est excitant ! de dire Christine. Voulez-vous signer le registre ? Le chasseur transportera ensuite vos valises jusqu'à votre chambre.

Après avoir signé son nom dans le registre, non sans difficulté, Annie s'adresse à André.

— Chasseur, êtes-vous prêt ? J'ai deux grosses malles et une boîte à chapeaux.

— Oui, Madame la comtesse, dit André.

Puis ils quittent le salon et c'est au tour de Karen de faire son entrée.

— Mademoiselle Mystérieuse ! Quelle surprise ! s'écrie

Christine. Cela fait des siècles que nous vous avons vue.

— Oui, glousse Karen. J'assistais à la conférence des Gens mystérieux, en Transylvanie. C'est un grand rassemblement de sorcières, de fantômes et de personnes mystérieuses.

— Eh bien, vous avez l'air particulièrement mystérieuse aujourd'hui, déclare Christine.

— C'est vrai, n'est-ce pas, dit Karen en s'arrêtant devant l'une des fenêtres panoramiques qui donnent sur le devant de la maison. Ça, c'est un miroir, annonce-t-elle. Je vais juste...

Soudain, elle pousse un cri. Christine fait de même.

André et Annie accourent dans le salon afin de voir ce qui se passe. André crie à son tour et va se cacher derrière un fauteuil. Annie écarquille les yeux et ouvre la bouche, mais pas un son n'en sort.

Ce que tout le monde a aperçu lorsque Karen s'est arrêtée devant le « miroir », c'est une autre silhouette noire, celle de M^me^ Portal, la voisine immédiate des Marchand.

Voyez-vous, Karen est certaine que M^me^ Portal est une sorcière dont le vrai nom est Destinée Morbide. Elle a même convaincu André, Annie, Christine et toutes les autres membres du Club des baby-sitters, et tout particulièrement Anne-Marie. Alors, pas étonnant que tout le monde ait paniqué.

M^me^ Portal se dirige vers l'entrée des Marchand.

— Je me demande bien ce qu'elle veut cette fois, dit Christine, plus ou moins brave.

— Je suis certaine qu'elle est en train de faire de la cuisine et qu'elle a besoin de nez de grenouilles et de verrues.

— Karen, ne sois pas stupide.

— Bonjour, M^me^ Portal. Puis-je vous aider? demande

Christine en entrebâillant la porte.

À sa dernière visite, M^me Portal avait lancé le pauvre Bou-Bou, le chat des Marchand, dans l'entrée après que celui-ci eut laissé les restes d'une souris sur son perron.

— Je suis en train de cuisiner et je voudrais vous emprunter du fenouil et de la coriandre.

— Aaaah ! font les trois enfants.

– Calmez-vous, ce sont des épices, dit doucement Christine. Je suis désolée, M^me Portal, mais nous n'en avons pas. M. Marchand ne fait pas tellement de cuisine.

— Bon. Tant pis, répond Destinée Morbide.

Elle dévale ensuite les marches du perron et court jusque chez elle. Karen, André et Annie trouvent le courage de se rendre à une fenêtre pour l'observer. Elle s'arrête devant son jardin, examine de nouvelle pousses, monte sur son perron, prend son balai et rentre enfin dans la maison.

— Karen, dit soudain Christine, où est Bou-Bou ?

— Je n'en suis pas certaine, mais je crois qu'il est quelque part, en haut. Je vais te montrer.

Suivie des trois autres, Karen se précipite dans l'escalier et court jusqu'à la dernière chambre, au fond du corridor. Christine y jette un coup d'oeil. Bou-Bou, le plus gros chat du monde, dort, pelotonné sur le lit.

— Je suis bien contente, soupire Christine. J'avais peur qu'il soit encore dans le jardin de M^me Portal.

— Oh, il n'y va plus, déclare Karen. Il a bien trop peur d'elle maintenant. Il reste toujours à l'intérieur. Et il ne va plus au troisième étage. Tu sais pourquoi ?

— Non. Pourquoi ?

— Parce que notre grenier est hanté.

— C'est vrai ? demande Annie, les yeux écarquillés.

— Oui, déclare Karen, d'un ton solennel. Les animaux

sentent ces choses-là. Notre grenier est hanté par le fantôme du vieux Ben Marchand, l'arrière-grand-père de Papa, qui…

Christine interrompt Karen avant que celle-ci ne laisse libre cours à son imagination trop fertile.

— Allez, les enfants. Retournons à notre jeu.

Christine et les trois petits reviennent au salon où ils continuent de jouer au Grand Hôtel jusqu'au retour de M. Marchand.

En partant, Christine laisse échapper un soupir. Elle se doute bien qu'elle n'a pas fini d'entendre parler de Ben Marchand.

Je dois faire quelque chose à propos de Christine. J'ai beau essayer, la situation reste toujours aussi tendue entre nous deux.

— Ça te dirait de venir chez nous après la classe, lui dis-je, spontanément, un jour à l'école.

— Pourquoi pas, répond-elle.

Nous sommes aussi surprises l'une que l'autre, tant par ma demande que par sa réponse. Dans quelle galère me suis-je embarquée? Que ferons-nous pour nous occuper? Chaque fois que nous discutons, nous finissons par nous disputer. Eh bien, me dis-je, qui vivra verra.

Je rencontre donc Christine après la classe et nous marchons ensemble jusque chez moi. Anne-Marie ne nous accompagne pas, car elle garde Charlotte Jasmin et les Jasmin habitent dans la direction opposée. De toute façon, c'est mieux ainsi puisque Anne-Marie est en quelque sorte la cause de notre problème. Nous avons besoin de nous retrouver seules toutes les deux.

Nous marchons en silence et quoique Christine ne semble pas de mauvaise humeur, ce silence me gêne.

— Nous vivons dans une ancienne maison de ferme, dis-je, pour faire la conversation.

— Ah, oui ? Est-ce que tu aimes ça ?

— Ce n'est pas si mal. Sauf que les pièces sont petites et que les cadres de porte sont bas. La première fois qu'Anne-Marie est venue chez moi, elle a déclaré que les colons étaient probablement des nains.

Christine éclate de rire. Puis, elle se reprend et serre les lèvres. Ce n'est pas un bon signe. J'ai envie de rentrer sous terre. Comment ai-je pu être assez stupide pour mentionner Anne-Marie ? Comme je ne sais pas trop quoi dire, je continue à parler de la maison.

— Lorsque la maison a été construite, il n'y avait que des terres agricoles à des kilomètres à la ronde. Puis, Nouville a pris de l'expansion et les propriétaires de la maison ont vendu leur terre petit à petit. Aujourd'hui, il ne reste plus qu'un acre de terrain avec la maison, une petite remise, une étable et un fumoir. L'ensemble est plutôt décrépit, d'autant plus que la propriété était inhabitée depuis plus de deux ans lorsque ma mère l'a achetée. Nous l'avons eue pour une bouchée de pain.

— Vous avez une étable sur votre propriété ? demande Christine, subitement intéressée. Est-ce que vous y jouez ?

— Nous ne sommes pas supposés, mais Julien et moi y allons parfois.

— Pourquoi ne pouvez-vous pas jouer là ?

— Parce que le bâtiment est très vieux. Maman a peur que le toit s'effondre. Elle n'a peut-être pas tort.

— Vous n'avez pas d'animaux, alors ?

— Oh, non ! Mais les gens qui habitaient là avant nous en avaient probablement, car le fenil est rempli de foin. Nous y montons parfois, Julien et moi. Nous avons même installé un câble auquel nous nous balançons à partir d'une grosse poutre fixée au plafond pour aller atterrir dans le foin.

— Vraiment? demande Christine.

— Oui, oui. C'est très amusant.

— Je parie qu'Anne-Marie et toi vous y jouez souvent.

— Anne-Marie? Elle ne sauterait jamais de la poutre. Elle ne veut même pas entrer dans l'étable à cause de ce qu'a dit Maman au sujet du toit. Elle a peut-être changé récemment, mais pas à ce point.

Christine me regarde et esquisse un petit sourire.

En arrivant, nous trouvons la maison vide.

— Je me demande où est Maman, dis-je.

Nous trouvons la réponse à la cuisine. Il y a une note sur le réfrigérateur :

« Bonjour les enfants! Suis partie passer des entrevues. Serai de retour vers dix-sept heures. Grosses bises, Maman. »

— As-tu faim? Nous pourrions prendre une collation, dis-je à Christine.

— Bonne idée! Je suis affamée.

Nous nous faisons chacune un sandwich au beurre d'arachide et pendant que nous mangeons, Julien arrive, avale une banane et s'en va retrouver les triplets Picard.

— Qu'est-ce que tu voudrais faire? dis-je à Christine, après le départ de Julien. Je peux te faire visiter ma chambre. Ou nous pourrions fouiller la maison pour savoir s'il existe un passage secret.

— Est-ce que nous pourrions aller dans l'étable? demande Christine.

— Bien sûr, pourvu que nous soyons prudentes.

Nous courons donc jusqu'à l'étable.

— Oh ! fait Christine, en entrant. Ça sent l'étable, même s'il n'y a pas d'animaux.

— Je sais. C'est extraordinaire, n'est-ce pas ? On peut facilement imaginer qu'on est à la ferme, en pleine campagne.

Nous nous promenons dans l'allée, entre les deux rangées de stalles et Christine lit à haute voix les noms gravés sur les plaquettes devant chaque stalle : Pâquerette, Rose, Roussette...

Mais, à part les stalles et les mangeoires, il n'y a pas grand-chose à voir.

— Comment monte-t-on au grenier ? demande Christine.

— Suis-moi, lui dis-je.

Au fond de l'étable, une échelle conduit au fenil. Nous y grimpons et Christine marche dans le foin.

— Humm ! dit-elle. C'est doux et ça sent bon.

Elle lève la tête. Le toit est bien haut au-dessus de nos têtes et on peut voir la poussière danser dans la lumière du soleil qui s'infiltre par les fentes.

— C'est tellement paisible, déclare Christine.

— Tu as envie d'essayer le câble ?

— Je crois que si. Est-ce que c'est bien haut ?

— Attends. Je vais te montrer.

Prenant appui sur les blocs de bois encastrés dans le mur du fenil, je monte jusqu'à la poutre qui est située à une douzaine de pieds de hauteur.

— Lance-moi le câble, dis-je à Christine.

— Jusque là-haut ? demande-t-elle, incertaine.

— Oui, c'est facile. Essaie, tu vas voir.

Après deux tentatives, j'attrape enfin le câble. Je m'agrippe au noeud que Julien et moi avons fait à l'extrémité, puis je saute dans le vide. Juste avant d'atteindre le mur opposé, je lâche prise et je tombe dans le foin.

— Ouf! Super! C'est à ton tour, dis-je, en brossant mes vêtements pour enlever le foin qui y est resté accroché.

Christine grimpe lentement jusqu'à la poutre. Puis, je lui lance le câble. Après quelques secondes d'hésitation, elle s'élance. Pendant qu'elle se balance dans le vide, la peur, l'étonnement et le plaisir se lisent tour à tour sur son visage.

— Ça alors! Quelle sensation, s'écrie-t-elle joyeusement en se relevant.

Nous recommençons plusieurs fois, puis nous nous étendons dans le foin et nous bavardons tranquillement. Nous parlons des divorces, des déménagements et du Club des baby-sitters et enfin d'Anne-Marie.

— Je suis heureuse qu'elle ait une nouvelle amie, dit soudain Christine.

— C'est vrai?

— Oui. Elle a besoin de nouvelles amies.

— C'est bien aussi qu'elle garde les anciennes, dis-je.

— Tu sais, j'ai pensé à quelque chose. Le Club devrait avoir un substitut. Quelqu'un qui serait en mesure d'assumer n'importe quelle fonction si l'une d'entre nous ne peut assister à une réunion. Que dirais-tu d'être le substitut officiel?

— Oh! Je serais très honorée, dis-je.

Et c'est ainsi que dans la même journée, je réussis à régler la situation entre Christine et moi et à devenir le substitut officiel du Club des baby-sitters.

En ce samedi de mai, il fait exceptionnellement beau et chaud. Je garde chez les Barrette et Claudia et Sophie sont chez les Picard. Elles s'y trouvent toutes les deux parce qu'elles gardent les huit enfants. Nous avons donc décidé d'en profiter pour réunir tout ce petit monde et organiser un pique-nique.

M^me^ Barrette m'a demandé d'arriver à huit heures quinze. Elle assiste à un séminaire qui durera toute la journée et qui devrait l'aider dans sa chasse aux emplois.

Bien que j'aie été garder deux jours plus tôt, la maison est dans son désordre habituel. De plus, les enfants sont encore en pyjama, ils n'ont pas déjeuné, leurs lits ne sont pas faits et la couche de Marilou a grand besoin d'être changée. Cependant, M^me^ Barrette ne mentionne rien de cela. Elle sort de la maison en coup de vent en me disant qu'elle a laissé le numéro où je peux la rejoindre à côté du téléphone. Au moins, elle aura retenu cela.

Après son départ, les enfants se groupent autour de moi avec l'air d'attendre quelque chose de ma part.

— Est-ce que tu restes longtemps ? demande Bruno.

— Toute la journée, dis-je, sans trop d'enthousiasme.

— Hourra ! crient Bruno et Suzon.

Marilou cligne des yeux. Cela me fait chaud au coeur et je me sens mieux. Je commence par changer sa couche, puis je leur demande s'ils ont faim. Naturellement, ils sont affamés.

Je décide donc de les faire déjeuner en premier. Ensuite, je les habillerai et je les aiderai à faire leur lit et à ranger leur chambre. Ils joueront dehors jusqu'à midi trente puis, ils dîneront et les filles feront la sieste vers treize heures trente. Pendant ce temps, Bruno et moi, nous nous amuserons tranquillement. À leur réveil, nous ferons une course pour ranger le salon et la salle de jeu.

J'organise mon horaire mentalement tout en installant les enfants à la table de la cuisine. Cependant, j'oublie une chose : le pique-nique.

Selon mon horaire, les enfants devraient avoir terminé de déjeuner à neuf heures quinze.

À neuf heures vingt, Bruno demande d'autres céréales.

À neuf heures vingt-deux, Salami gémit pour rentrer.

À neuf heures vingt-cinq, Marilou renverse le verre de jus de Suzon.

À neuf heures vingt-huit, Suzon crie toujours après Marilou.

À neuf heures trente et une, Salami gémit pour sortir.

À neuf heures trente-quatre, je n'ai pas encore terminé de desservir.

À neuf heures cinquante, Claudia téléphone pour dire que le pique-nique aura lieu à treize heures, dans la cour des Picard. Je dois apporter des sandwiches pour nous quatre et faire un gâteau au chocolat.

Treize heures ! Mais les filles n'auront jamais le temps de faire leur sieste. Je révise donc mon horaire en allouant du temps pour faire le gâteau. Si les enfants sont habillés et que leurs chambres sont rangées à dix heures trente, nous serons peut-être prêts pour treize heures.

— Que diriez-vous d'aller à un pique-nique chez les Picard ?

En guise de réponse, Bruno et Suzon se mettent à crier et à sauter autour de moi, tandis que Marilou cligne des yeux.

— Bon ! Dans ce cas, nous avons beaucoup de choses à faire ce matin. Vous devez d'abord vous habiller et ranger vos chambres. Ensuite... nous allons faire un gâteau pour apporter au pique-nique !

— Oh ! Oui ! s'exclame Bruno. Pouvons-nous commencer tout de suite ?

— Non ! Toi et tes soeurs devez d'abord vous habiller. Allons, venez avec moi.

Une heure trente plus tard, les enfants sont finalement habillés et leurs chambres, rangées. Il reste une heure et demie pour faire le gâteau. Je rassemble donc les enfants dans la cuisine et j'installe Marilou dans sa chaise haute, avec une cuiller en bois.

— Bon, tout le monde met un tablier, dis-je en en sortant trois d'un tiroir.

— Pas moi, crie Bruno. Les tabliers c'est pour les filles.

— Et les cuisiniers alors ? Tiens, en voici un blanc comme ceux que portent les grands chefs, dis-je en le lui attachant dans le dos.

— Est-ce que votre maman achète des mélanges à gâteau ?

— Oui, répond Bruno. Ils sont dans l'armoire.

J'ouvre donc l'armoire et j'aperçois, tout au fond, une

boîte de mélange ainsi qu'une boîte de glaçage. Je donne la boîte à Bruno en lui demandant de me lire les instructions.

— Que faut-il ajouter au mélange, Bruno?

— Un oeuf et...de l'huile, annonce-t-il fièrement.

— D'accord. Tu sors les oeufs et la bouteille d'huile et moi, je me charge des moules et des bols à mélanger.

— Et moi, qu'est-ce que je fais? demande Suzon.

— Hum, tu pourrais peut-être sortir des torchons à vaisselle.

C'est la première chose qui me vient à l'esprit. Heureusement, elle ne me demande pas à quoi ils serviront. Mais ils trouvent leur utilité quelques minutes plus tard, quand Bruno échappe un oeuf par terre et que Suzon retire le batteur du mélange pendant que l'appareil est en marche.

Je mets finalement le gâteau au four à midi trente-cinq. Il faut allouer trente minutes de cuisson. Nous ne serons pas trop en retard au pique-nique.

Pendant que le gâteau cuit, nous faisons les sandwiches et nous nettoyons les dégâts. À treize heures cinq, le gâteau est cuit et nous partons. Je confie les sandwiches à Suzon, Marilou et Salami à Bruno et moi, je me charge du gâteau.

Les petits Picard ont décoré la cour avec des ballons et des fanions, et Claudia et Sophie ont étendu de grandes couvertures par terre. Elles y ont disposé des assiettes et des verres de carton, des serviettes en papier et des ustensiles en plastique.

Je compte rapidement notre petite marmaille pour m'assurer que tout le monde y est et j'arrive à un total de quinze.

— Hé, Sophie, viens ici.

— Qu'est-ce qu'il y a? demande Sophie.

— Combien y a-t-il de petits Picard? dis-je.

— Huit, tu le sais bien.

— Bon, plus les trois jeunes Barrette, cela fait onze. Avec toi, Claudia et moi, nous devrions être quatorze.

— C'est exact.

— Alors, compte le nombre de personnes dans la cour.

— ...treize, quatorze, quinze...Quinze?

— Moi aussi, j'arrive au même total.

— Bon, essayons de trouver l'intrus, dit Sophie.

— D'accord. Il y a Bruno, Suzon et Marilou.

— Et Marjorie, Bernard, Antoine, Joël, Vanessa, Nicolas, Margot, Claire et Jeanne.

— Cela fait neuf Picard, dis-je.

— Jeanne! s'exclame Sophie. Qu'est-ce que Jeanne Prieur fait ici?

— Oh, non!

En la voyant, je me demande bien comment elle a pu passer inaperçue.

Jeanne est la seule enfant qui soit habillée comme pour aller à un mariage. Elle porte une robe blanche immaculée avec un petit tablier rose et des bas blancs. Elle a même des rubans roses dans les cheveux.

Claudia est en train de sortir la nourriture. Tout est prêt.

— C'est plutôt difficile de la renvoyer chez elle. Nous allons devoir l'inviter, dit Sophie.

— Je crois que tu as raison.

Sophie va donc téléphoner à Mme Prieur. Puis, Claudia et moi installons les enfants sur les couvertures. Nous distribuons les sandwiches et nous remplissons les verres de limonade ou de lait. Tout se déroule merveilleusement bien pendant trois minutes. Mais soudain, Joël dépose son sandwich, se tourne vers Nicolas en pointant ses deux index vers lui et fait « Pouf! »

Le résultat est absolument foudroyant. Nicolas pousse un hurlement.

— Claudia, Joël m'a fait disparaître !

— Mais qu'est-ce que c'est que cette histoire ? dis-je en chuchotant à Sophie.

— Je n'en suis pas certaine. Les jeunes Picard font ça quand ils veulent contrarier leurs frères ou leurs soeurs, ou encore leurs amis. Apparemment, c'est très efficace.

— Ne lui porte pas attention, dit Claudia à Nicolas.

— Mais il m'a fait disparaître ! gémit Nicolas de plus belle.

Claudia soupire en nous regardant et nous lui répondons par un haussement d'épaules.

Puis, Antoine fait disparaître Jeanne et Bruno fait de même avec Suzon. Les deux fillettes fondent en larmes. Ensuite, Marjorie, qui se comporte généralement comme une jeune adulte, fait disparaître Bernard qui éclate en sanglots à son tour.

En moins de trente secondes, six enfants se mettent à pleurer tandis que six autres arborent un large sourire en faisant « Pouf ! Pouf ! »

Heureusement, j'ai un éclair de génie.

— Qui veut du gâteau au chocolat ?

Le tohu-bohu s'arrête instantanément.

— Moi ! Moi ! crient tous les enfants, sauf Marilou.

— D'accord. Mais vous devez d'abord cesser de vous taquiner, terminer vos sandwiches et vous tenir tranquilles. Le premier qui en fait disparaître un autre ira réfléchir dans la maison. C'est bien compris ?

Cet avertissement est suivi d'un long silence. Puis, les enfants commencent à se conter des blagues et l'atmosphère revient à la gaieté. Quinze minutes plus tard, il ne reste plus un seul sandwich et je distribue des tranches de gâteau. J'en coupe un tout petit morceau que je donne à Marilou.

— Hé ! Ne lui donne pas ça, crie Marjorie.

Elle plonge par-dessus Vanessa et Bruno et arrache le morceau des mains de Marilou.

— Mais qu'est-ce que tu fais? dis-je avec mauvaise humeur. Vraiment, Marjorie, tu pourrais attendre ton tour.

— Elle est allergique, répond-elle en me regardant d'un air blessé. Marilou ne peut pas manger de chocolat.

— En es-tu certaine? M^me^ Barrette ne me l'a pas dit.

— Tu peux le demander à ma mère si tu ne me crois pas.

— Je suis désolée, Marjorie. Je ne le savais pas.

Je me sens tellement mal que je m'excuse encore quatre fois auprès de Marjorie. Puis, la colère m'envahit. Les jeunes Barrette sont merveilleux mais je ne peux en dire autant de leur mère. C'est à peine si elle s'occupe de ses enfants ; elle n'a aucune organisation et en plus, je fais son ménage sans qu'elle me donne un sou de plus. Bref, la situation est intolérable.

J'ai bien l'intention de lui présenter mes doléances dès son retour. Mais elle ne m'en donne pas l'occasion. Elle n'est pas aussitôt rentrée qu'elle commence à me louanger en voyant sa maison bien rangée, ses enfants propres et bien coiffés et le reste du gâteau sur le comptoir de cuisine.

— Diane, je ne sais pas ce que je ferais sans toi. M^me^ Picard m'avait dit que tu étais extraordinaire, et elle avait bien raison.

Que répondre? Du coup, j'oublie ma colère, j'embrasse les enfants et je m'en vais.

le mercredi 27 mai

Ce soir, j'ai gardé Julien, le frère de Diane. Il est évident qu'il se considère trop vieux pour avoir une gardienne, mais Diane était chez les Barrette et sa mère venait d'avoir des billets de concert. Comme elle ne voulait pas laisser Julien seul toute une soirée, elle m'a appelée à la dernière minute et, heureusement, j'étais disponible. Je dois dire que je n'ai pas travaillé très fort.

Mais, Diane, j'ai remarqué que cela fait deux soirs de suite que tu travailles chez les Barrette. En regardant dans notre Agenda, j'ai vu que tu avais gardé quatre fois la semaine dernière. Est-ce que tu n'en fais pas un peu trop? Je te dis cela en toute amitié.

Claudia a raison. Je sais bien qu'elle n'est pas jalouse parce que je garde souvent. La vérité, c'est que je vis pratiquement chez les Barrette. Christine et Anne-Marie m'ont remplacée à quelques reprises parce que je n'étais pas disponible, mais Mme Barrette a dit que les enfants, et tout particulièrement Bruno, me préféraient aux autres.

Bien sûr, c'est flatteur. Mais je n'ai plus de temps à moi. J'ai même manqué une réunion du Club. Mme Barrette m'avait promis de rentrer pour dix-sept heures trente, mais elle est arrivée à dix-huit heures cinq. Si encore elle avait eu un rendez-vous important, mais elle était simplement sortie avec une amie.

Le lundi après le pique-nique, j'attends que Mme Barrette soit revenue pour la soirée et je l'interroge au sujet de l'allergie de Marilou.

— Mme Barrette, est-ce que je pourrais vous parler une petite minute? lui dis-je lorsqu'elle m'a payée.

Pendant une fraction de seconde, je crois lire la peur dans ses yeux ; ou est-ce du mécontentement? Je ne saurais le dire. Nous allons donc nous asseoir au salon.

— Pourquoi ne m'avez-vous pas dit que Marilou est allergique au chocolat?

Assise sur le canapé, en face de moi, dans son tailleur impeccable, elle a l'air d'une femme organisée, sûre d'elle. Mais en regardant de plus près, on distingue des rides autour de ses yeux et de sa bouche, qui trahissent sa lassitude et son anxiété.

— Je ne t'avais pas parlé de son allergie? demande-t-elle en se frottant les tempes.

— Non, dis-je. Et j'ai failli lui donner un morceau de gâteau au chocolat l'autre jour. En fait, Marjorie Picard m'a avertie juste à temps.

— Dieu merci, soupire M^me^ Barrette. Pauvre petit bébé, ajoute-t-elle lorsque Marilou entre dans le salon en trottinant, les bras tendus pour se faire prendre.

M^me^ Barrette l'assoit sur ses genoux et commence à la bercer.

— A-t-elle d'autres allergies ?

— Pas que nous sachions, répond M^me^ Barrette en déposant un baiser sur la tête de Marilou.

— Y a-t-il autre chose que je devrais savoir au sujet de Suzon et de Bruno ?

Le visage de M^me^ Barrette s'adoucit un instant et je m'attends à ce qu'elle me parle de cauchemars, de craintes enfantines et d'aliments préférés. Mais soudain, ses traits se crispent.

— Il y a une chose que tu dois savoir. Si jamais mon ex-mari appelle, ne le laisse pas parler aux enfants et ne lui dis pas que je suis absente. Dis simplement que tu es une aide maternelle et que je suis occupée.

Elle semble sur le point de rajouter autre chose lorsque nous entendons un bruit sourd, suivi d'un cri.

Nous nous précipitons dans la salle de jeu où nous avions laissé Bruno et Suson sagement assis devant la télévision. Mais pendant que M^me^ Barrette et moi discutions, ils ont transformé la pièce en zone sinistrée : un bol d'eau gît par terre, au milieu de verres de carton à moitié pleins et de bouteilles de colorants alimentaires. On voit bien que l'expérience a mal tourné. Il y a des petites mares bleues, roses et jaunes un peu partout. Les vêtements des enfants sont tachés et plusieurs animaux en peluche ont maintenant une toison verdâtre. Suzon a crié quand Bruno lui a renversé du liquide rose sur la tête. Bruno soutient que c'est un accident, mais Suzon n'est pas de cet avis.

Mme Barrette semble sur le point de s'effondrer.

— Je m'en occupe, lui dis-je. Profitez-en pour aller changer les vêtements de Suzon. Bruno, va chercher des essuie-tout. Nous allons nettoyer ça.

— Et pourquoi je dois nettoyer? gémit Bruno. Suzon aussi a fait des dégâts.

— Oui, je sais, mais elle est toute mouillée. Va chercher les essuie-tout et je vais te montrer quelque chose.

Bruno hésite une seconde, puis il part en courant. Mme Barrette monte avec les deux filles. Quand Bruno revient avec les essuie-tout, j'éponge une des petites mares, puis je lui montre le résulat.

— Oh, c'est devenu rose! s'exclame-t-il. C'est à mon tour d'essayer.

Pendant qu'il s'affaire, je vide les verres dans le lavabo de la cuisine et je range les bouteilles de colorant et le bol. J'essaie ensuite de redonner leur couleur originale aux animaux en peluche, mais j'ai beau frotter, ils conservent une teinte verdâtre.

Lorsque Mme Barrettre revient, toute trace du sinistre a été effacée.

— Oh, merci, Diane. Je ne sais pas ce que je ferais sans toi.

Pendant que j'enfile mon chandail, elle me glisse un autre billet de un dollar dans la main.

— Pour avoir évité un drame, explique Mme Barrette. Tu es une vraie fée. Chaque fois que tu gardes, je trouve une maison impeccable à mon retour. J'étais si organisée auparavant. Mais, depuis le divorce, on dirait que je suis dépassée par les événements. Si seulement leur père pouvait...Ah, et puis, de toute façon...J'espère au moins que tu sais combien je t'apprécie. Nous dépendons tous de toi.

Voilà qui est plutôt angoissant. Je trouve que c'est une bien grosse responsabilité.

Au même moment, le téléphone sonne et Bruno répond.

— Bruno ! Je t'ai pourtant interdit de répondre au téléphone, crie Mme Barrette.

— Maman, c'est Papa, crie Bruno à son tour. Il veut savoir ce qui se passe. Il dit que tu devais nous déposer chez lui, Suzon et moi, à dix-sept heures trente et que ça fait une demi-heure qu'il attend.

— Oh ! mon Dieu, j'ai complètement oublié ! s'exclame Mme Barrette. Diane, je peux compter sur toi mercredi ?

— Oui, je serai là à quinze heures.

Mais elle ne m'entend pas. Elle court déjà au téléphone.

Au cours des semaines suivantes, je garde exclusivement chez les Barrette. Les autres membres du Club ne disent rien, mais moi, cela commence à m'ennuyer.

En effet, le manque d'organisation de Mme Barrette me cause quelques problèmes. Un après-midi, Suzon me dit qu'elle ne se sent pas bien et vomit aussitôt sur le plancher de la cuisine. Après avoir nettoyé le dégât, je prends sa température et je constate qu'elle est fiévreuse.

Je décide donc d'appeler Mme Barrette au travail (elle a trouvé un emploi temporaire dans une agence de placement) et je compose le numéro qu'elle m'a laissé en cas d'urgence.

— Garage Legris ? me répond une grosse voix.

— Je suppose qu'il n'y a pas de Mme Barrette chez vous, dis-je, connaissant déjà la réponse.

— Non, désolé, petite.

Ce n'est pas le bon numéro de téléphone. J'aurais dû m'en douter. Suzon vomit une autre fois et pendant que je nettoie ce nouveau dégât, j'essaie de me rappeler si M^me^ Barrette a mentionné le nom de l'agence de placement. Juste au cas, j'ouvre les pages jaunes dans l'espoir de trouver un nom qui me semble familier, mais en vain.

J'installe Marilou dans son parc, j'envoie Bruno jouer chez les Picard et je passe le reste de l'après-midi dans la salle de bains, avec Suzon qui n'en finit plus de vomir. Pauvre petite !

Quand sa mère rentre enfin à la maison, je suis plutôt de mauvaise humeur et je lui dis sèchement qu'elle ne m'a pas laissé le bon numéro de téléphone. M^me^ Barrette se confond en excuses, mais il est un peu tard.

Deux jours après, le virus de Suzon s'en prend à moi et je passe des heures dans la salle de bains. Puis, il s'attaque à Maman et à Julien. Il n'épargne pas non plus les Picard, chez qui j'avais envoyé Bruno pendant que je prenais soin de Suzon.

Un autre jour, alors que M^me^ Barrette sort en courant, Bruno se met à crier :

— Maman ! Maman ! Tu as oublié mon devoir.

— Je le regarderai ce soir, dit-elle sans s'arrêter.

Bruno éclate en sanglots et monte se réfugier dans sa chambre. Je vais le retrouver et je le trouve couché sur son lit, la tête enfouie dans l'oreiller.

— Hé ! Bruno ! Qu'est-ce qui ne va pas ?

— Maman devait m'aider à faire mon devoir, dit-il en sanglotant.

— Je peux peut-être t'aider ? Je connais pas mal de choses, tu sais. Je suis au secondaire.

— Mais j'ai besoin de l'aide de Maman. Nous faisons un travail sur la famille et nous devons dessiner notre arbre géné…alogique, avec les noms de nos grands-parents. Tu ne le sauras pas. Je ne connais même pas leurs noms. Je les appelle toujours Mamie et Papi et Grand-maman et Grand-papa. Et mon devoir est pour demain. Et je sais bien que Maman ne m'aidera pas, elle est toujours fatiguée le soir.

— Eh bien, nous pourrions lui faciliter la tâche. Nous allons dessiner l'arbre et nous laisserons des espaces pour les noms. Sais-tu combien d'oncles et de tantes tu as ?

Bruno hoche la tête, plus ou moins certain. J'occupe donc les filles avec des jouets et je me mets ensuite à la tâche avec Bruno. Je le laisse dessiner l'arbre, puis je lui montre comment faire des cases à l'aide de la règle. Lorsqu'il a terminé, il ne reste plus qu'à inscrire les noms dans les cases vides.

Une semaine plus tard, Bruno sonne chez moi après la classe. En me voyant, il me tend une feuille de papier sur laquelle brille une grosse étoile dorée. C'est son arbre généalogique complété.

— Mon professeur a dit que c'était un excellent travail. Merci, Diane, pour ton aide.

— Ça me fait plaisir, Bruno, dis-je en le serrant dans mes bras.

Cependant, je ne peux m'empêcher de penser que c'est M$^{me}$ Barrette qui devrait le serrer dans ses bras et le féliciter pour son bon travail.

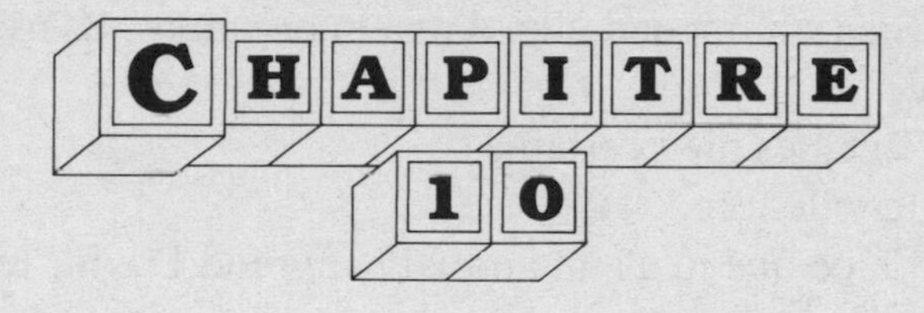


Le jeudi 28 mai

Cet après-midi, j'ai gardé David. Pauvre petit! J'imagine que c'est difficile d'être le dernier d'une famille nombreuse. Christine, Sébastien et Charles étaient tous occupés ailleurs et naturellement, Mme Thomas travaillait.

Lorsque je suis arrivée, il semblait triste. Aussitôt après le départ de Christine, il m'a demandé si nous pouvions bavarder en prenant une collation. David est très préoccupé par le déménagement chez Guillaume. Il voulait m'en parler parce qu'il sait que j'ai déménagé récemment. Il semble qu'il aurait observé les déménageurs décharger le camion devant chez nous, au mois d'août. Il les a vus briser une lampe. Il a aussi aperçu un objet recouvert d'une toile, qu'il a pris pour un fantôme. Il est très inquiet.

Apparemment, David est plus intéressé à bavarder qu'à manger, car c'est à peine s'il touche aux biscuits et au jus que Sophie lui a servis.

— Sophie, quand tu as déménagé, est-ce que les déménageurs ont tout mis dans le camion ?

— Bien sûr, répond-elle, d'un ton rassurant. Ils n'ont rien oublié.

— Tu en es bien certaine ?

— Je te le jure.

— Es-ce que tu as un animal ? reprend David, les yeux pleins d'eau.

— Non, fait Sophie, intriguée par cette question. Soudain, elle comprend. Oh, David ! Les déménageurs ne vont pas mettre Bozo dans le camion.

— J'espère que non, parce que Bozo n'aime pas la noirceur.

— Ta mère va emmener Bozo en voiture jusque chez Guillaume. Bozo aime bien se promener en voiture, n'est-ce pas ?

— Oh, oui alors ! s'exclame David, en souriant.

— Et il a déjà été chez Guillaume ?

— Oui, quelques fois.

— Tu vois, il saura même où il s'en va. Tu n'as pas à t'en faire.

— Sophie, est-ce que les camions de déménagement ont des accidents ?

— Je ne sais pas, répond Sophie, en se demandant où il veut en venir.

— Hier, à la télé, j'ai vu un camion qui roulait sur une route, dans une montagne. Et tout d'un coup, le camion a dérapé et il est tombé dans le précipice, comme ça, fait-il en mimant la trajectoire du camion. Et les portes se sont ouvertes et j'ai vu un ourson, tout écrasé, et un tricycle aussi, qui n'avait plus de roues.

— Mais, David, il n'y a pas de montagne à Nouville. Le trajet entre la rue Soulanges et la maison de Guillaume ne prendra que quelques minutes. De toute façon, notre camion a voyagé de Toronto jusqu'ici, sans problème.

— Les déménageurs ont brisé une lampe!

— Oui, je sais, mais c'est très rare.

— Je ne veux pas qu'ils touchent à ma station spatiale.

— Je parie que si tu le dis à ta mère, elle pourra l'emporter dans la voiture.

David hoche la tête et prend une minuscule bouchée de biscuit. Sophie a l'impression que ça ne s'arrêtera pas là. En effet, David dépose son biscuit dans l'assiette et commence à la bombarder de questions traduisant toute son anxiété au sujet de son nouvel environnement. Sophie répond de son mieux et essaie de le rassurer, mais elle croit que David s'inquiétera tant que le déménagement n'aura pas eu lieu.

Lors de notre réunion du Club des baby-sitters, elle aborde le sujet avec Christine.

— Vous ne déménagez que dans trois ou quatre mois. C'est long pour un petit enfant.

— Je sais, répond Christine. Mais il n'y a pas grand-chose à faire. Maman et Guillaume ne se marient qu'à la fin de septembre. Maman sait que David est inquiet et ils parlent souvent du déménagement ensemble. Trop souvent à mon avis.

— Qu'est-ce que tu veux dire?

— Eh bien, j'en ai assez d'entendre parler de ce déménagement. Moi non plus, je ne suis pas emballée par cette idée, mais pour des raisons différentes.

— Je ne peux pas croire que tu ne seras plus là, à côté de

chez moi, dit Anne-Marie, d'un ton triste. Toute ma vie, chaque fois que je regardais par ma fenêtre, c'est ta chambre que je voyais.

— Oui, et moi aussi, répond Christine, d'une voix rauque.

— Eh bien, maintenant, Christine, chaque fois que tu regarderas par ta fenêtre, tu verras la chambre de Destinée Morbide, dis-je.

Tout le monde éclate de rire.

— Vous savez, poursuit Christine, je sais bien que je ne m'en vais pas à l'autre bout du monde. Je vais continuer à fréquenter la même école et vous serez encore mes amies. Mais comment allons-nous procéder pour les réunions ? Et comment vais-je faire pour aller garder chez les Mainville, les Picard et tous les autres. Personne ne voudra traverser la ville pour aller me chercher et me reconduire quand vous, vous pouvez vous rendre à pied.

— Ce ne sera peut-être pas si pire, après tout, dit Claudia, au bout de quelques minutes. Tu vas recruter de nouveaux clients. Il doit y avoir un tas d'enfants dans ce quartier. Et lorsque tu ne seras pas diponible, nous pourrons te remplacer. Ce déménagement va permettre au Club de prendre de l'expansion. Nous aurons des clients partout à travers la ville !

L'enthousiasme de Claudia est contagieux. Tout le monde, sauf Sophie qui est diabétique, pige dans la boîte de chocolats qu'elle a sortie.

— Mais, les réunions, reprend Christine. Qui voudra me conduire ici trois fois par semaine ?

Cette fois, personne ne peut répondre à sa question.

— Tu pourrais venir à bicyclette, suggère Sophie. Je sais que cela fait plusieurs kilomètres, mais tu ferais un peu d'exercice.

— Je n'ai rien contre, mais Maman ne me laissera jamais faire ce trajet à bicyclette.

— Et pourquoi donc ? dis-je. Elle te laisse bien aller au centre-ville.

— Oui, mais pas seule. Et supposons que Maman m'accorde la permission de venir jusqu'ici à bicyclette. Il faut compter à peu près une demi-heure à l'aller et une demi-heure au retour. Cela veut dire que je devrai partir de chez Guillaume à dix-sept heures pour arriver ici à dix-sept heures trente. Je ne serai pas de retour à la maison avant dix-huit heures trente. Et en hiver, qu'est-ce que je ferai ?

Le problème prend des proportions alarmantes.

— Hé ! dit soudain Claudia. Nous pouvons organiser nos réunions ailleurs. Il n'est pas nécessaire de se réunir dans ma chambre.

— Mais nous avons besoin d'un téléphone, réplique Anne-Marie.

— Il y a des téléphones partout. Nous pourrions changer de place selon les besoins.

— En procédant ainsi, nos clients ne sauront plus où nous rejoindre, dis-je. Nous devons conserver le même numéro de téléphone.

— Oui, c'est vrai, admet Christine qui semblait avoir repris espoir. Et tout ça, c'est la faute de ce stupide Guillaume.

— Voyons, Christine. Ne blâme pas Guillaume. Ce n'est ni sa faute, ni celle de personne d'autre d'ailleurs, lui dis-je doucement.

— Tu ne sais même pas de quoi tu parles, réplique-t-elle sans même lever la tête.

— J'en sais peut-être plus que tu ne le crois. Tu n'es pas

la seule dont les parents sont divorcés.

— Non, mais je suis la seule dont la mère épouse une espèce de gros richard qui habite à cinq kilomètres d'ici sur une rue qui devrait s'appeler l'Avenue des millionnaires. Et je suis la seule qui sera probablement obligée de quitter le Club, un club que j'ai fondé !

— Oh ! Christine ! Tu ne peux pas quitter le Club, dis-je.

— Il n'en est pas question, déclare Anne-Marie. Nous ne pourrions pas diriger ton club sans toi. Cela ne serait pas juste.

— Pas de Christine, pas de Club, renchérit Claudia.

Soudain, nous nous regardons, terriblement conscientes de ce que pourraient signifier les paroles de Claudia.

Cette fin de semaine, ma mère organise un pique-nique. Au début, il ne devait y avoir que notre petite famille, mes grands-parents, M. Lapierre et Anne-Marie. Mais, Julien et moi demandons à Maman d'inviter les Thomas, les Kishi, les Ménard, les Picard et les Barrette.

En fin de compte, la plupart ont déjà des engagements et, outre mes grands-parents et les Lapierre, seuls les Barrette, Christine et David seront là. (Mme Thomas organise une soirée pour sa famille, Guillaume et ses enfants. Elle sera donc occupée avec les préparatifs. Mais Christine me dit qu'elle tient absolument à assister à notre pique-nique.)

Samedi matin, j'aide Maman à installer les meubles de jardin dans la cour. Julien s'affaire à les laver (ils sont plutôt poussiéreux après avoir passé l'hiver dans l'étable) et à décorer la cour de ballons et de banderoles pendant que Maman et moi, nous nous occupons du festin.

— Maman, dis-je en la regardant sortir toutes sortes de choses du réfrigérateur, je suis certaine que M. Lapierre te trouvera plus jolie si tu portes deux bas de la même couleur et des boucles d'oreilles assorties.

— Mes boucles sont assorties, j'ai fait bien attention avant de les mettre, se défend Maman, sans s'arrêter.

— Non. Ce sont deux anneaux dorés, mais ils ne sont pas de la même grosseur.

Pendant que Maman fouille dans son livre de recettes, je parcours la liste des plats à préparer. Hum ! Beaucoup de travail en perspective.

— Tu sais, Maman, nous pourrions peut-être nous simplifier l'existence en servant des hamburgers et des hot-dogs. Grand-Papa pourrait les faire cuire sur le barbecue. Ainsi, nous n'aurions pas à cuisiner tout l'avant-midi.

— Je ne sais pas, dit Maman. Il me semble que ce n'est pas très convenable de servir des hamburgers et des hot-dogs à ses invités.

— Voyons, Maman, c'est un pique-nique. Les gens ne s'attendent pas à manger un repas à huit services. Nous pourrions même acheter des salades préparées à la petite charcuterie du centre commercial. Elles sont délicieuses. La mère de Christine en achète souvent.

— Tu crois ? demande Maman.

L'idée de ne pas avoir à cuisiner lui semble de plus en plus séduisante.

— Allons-y !

Sans perdre une minute, nous sautons dans la voiture et Maman nous conduit au centre commercial.

— Dis, Maman, quand tu étais à l'école, tes parents désapprouvaient ta relation avec le père d'Anne-Marie, n'est-ce pas ?

— Oui, c'est vrai, chérie.

— Eh bien, comment réagiront-ils en le voyant, aujourd'hui ?

— Oh, je crois qu'après toutes ces années, ils auront changé d'opinion, répond Maman, d'un ton serein.

Mais, en l'observant du coin de l'oeil, je vois bien qu'elle n'est pas aussi sereine qu'elle voudrait le laisser croire.

À treize heures quinze, tous nos invités sont arrivés et bavardent gaiement. Le soleil est de la partie et la cour a un air de fête. Après avoir aidé Maman à sortir la nourriture et à la disposer sur la table, j'entraîne Christine et Anne-Marie un peu à l'écart pour que nous puissions surveiller la scène.

Julien, David, Bruno et Suzon jouent au ballon. Mme Barrette fait sauter Marilou sur ses genoux, tout en bavardant avec ma grand-mère. Grand-Papa s'affaire à allumer le barbecue. Ma mère et M. Lapierre sont assis l'un contre l'autre et bavardent à voix basse, les yeux dans les yeux.

— Surveillez-les, dis-je à mes deux amies. Nous avons une bonne occasion de voir comment ils se comportent ensemble. Et, Anne-Marie, observe bien mes grands-parents et ton père. Nous devrons peut-être intervenir...pour éviter un drame, dis-je, en reprenant les paroles utilisées un jour par Mme Barrette.

— D'accord, chuchote Anne-Marie.

— Hé, Anne-Marie, ton père ne porte plus de lunettes ? s'exclame Christine.

— Il porte des lentilles cornéennes maintenant.

— Ton père ! Des lentilles !

— Oui, ma chère, fait Anne-Marie en hochant la tête.

— Je ne le crois pas ! Ah ! trouvez-moi une chaise, je sens que je vais m'évanouir.

Affectant une grande urgence, Anne-Marie court chercher une chaise de jardin, et Christine, la main sur le coeur, fait semblant de s'effondrer dessus. Anne-Marie et moi, nous nous assoyons sur une chaise longue que nous avons placée à côté de celle de Christine et, ainsi installées, nous observons les adultes.

Il ne me faut pas beaucoup de temps pour me rendre compte que Grand-Maman fait seulement semblant de bavarder avec Mme Barrette. Elle se borne à lui poser des questions qui demandent de longues réponses et fait mine d'écouter Mme Barrette alors qu'en réalité, elle observe Maman et M. Lapierre.

De son côté, Grand-Papa, en fait autant. Bien qu'il semble absorbé par son feu de charbon de bois, il ne quitte pas les deux tourtereaux des yeux.

Le père d'Anne-Marie et Maman ont vraiment l'air d'un couple de tourtereaux. En fait, je ne serais même pas surprise de les entendre roucouler.

J'aimerais bien pouvoir lire dans les pensées de Grand-Papa. Il n'a pas l'air en colère. Mais il n'a pas l'air de déborder de joie, non plus.

— Comment trouvez-vous mon grand-père? dis-je, en poussant du coude Anne-Marie et Christine.

— Je le trouve très bien, répond Christine. Il a l'air en excellente forme pour un homme de son âge. Toutefois, je dirais que sa chemise ne va pas avec son pantalon.

— Non, ce n'est pas ce que je veux dire! Je veux savoir ce qu'il semble penser pendant qu'il épie nos amoureux.

— Je ne sais pas. C'est difficile à dire.

— Semble-t-il mécontent?

— Non, répondent Christine et Anne-Marie.

— Semble-t-il heureux?

— Non.

— Semble-t-il fier?

— Non.

— Et Grand-Maman? Elle les surveille depuis qu'elle est assise avec Mme Barrette.

— Je ne sais vraiment pas, répond Anne-Marie. Comme elle doit faire semblant de s'intéresser à ce que lui dit Mme Barrette pour ne pas paraître impolie, cela ne lui laisse pas la chance d'exprimer autre chose.

Le adultes sont certainement compliqués. Parfois, on dirait qu'ils ont plusieurs visages. C'est comme s'ils portaient des masques. Et même en sachant qu'ils en portent, il est difficile de faire la différence entre leurs masques et leur vrai visage.

La journée devient plus prometteuse lorsque nous commençons à manger. Maman installe Julien, David, Bruno et Suzon, à une petite table. Puis, les adultes, qui mangeront sur leurs genoux, forment un demi-cercle avec leurs chaises. Anne-Marie, Christine et moi, allons nous installer à l'une des extrémités du croissant. De cet endroit, nous avons une excellente vue.

Premier détail intéressant : Grand-Papa va s'asseoir à côté de M. Lapierre et amorce la conversation.

— Alors, Richard, comment ça va chez Tremblay Berthiaume et Associés?

— Oh, répond le père d'Anne-Marie, je les ai quittés depuis longtemps.

— Ah, oui?

— Oui, j'ai ouvert mon propre cabinet, il y a quatre ans.

— Ah, oui?

— Sans me vanter, je peux dire que les affaires vont très bien. J'ai pris la meilleure décision de ma vie en quittant la firme Tremblay Berthiaume.

— Ah, oui?

(C'est curieux comme la simple expression « Ah, oui ? » peut avoir différentes significations. En disant cela la première fois, Grand-Papa semblait avoir des doutes. La deuxième fois, il semblait impressionné et la troisième fois, plein d'admiration.)

Anne-Marie et moi échangeons un regard. C'est bien parti.

Un peu plus tard, c'est au tour de Grand-Maman de s'adresser à M. Lapierre.

— Richard, habitez-vous toujours la troisième avenue ?

Cette rue est située dans le quartier où a grandi M. Lapierre.

— Oh non ! Nous demeurons sur la rue Soulanges. Nous nous y étions installés avant la naissance d'Anne-Marie.

M. Lapierre semble étonné de toutes ces questions. Il se demande probablement comment il se fait que mes grands-parents ne soient pas au courant de ces choses. La vérité, c'est que Maman et ses parents évitent de parler de sujets délicats. Actuellement, le divorce, mon père et celui d'Anne-Marie constituent des sujets délicats. Je commence à croire que Maman a organisé cette petite réunion pour que mes grands-parents puissent constater par eux-mêmes que M. Lapierre a bien réussi et qu'il est parfaitement normal.

Vers la fin du repas, Grand-Papa et M. Lapierre sont en grande discussion au sujet des lois de l'impôt. Même si parfois, ils ne semblent pas du même avis, on voit bien qu'ils prennent plaisir à cette conversation et que chacun respecte les idées de l'autre.

Maman semble si heureuse de la situation qu'elle commence enfin à se détendre et à bavarder avec M^me^ Barrette et Grand-Maman.

Satisfaites de la tournure des événements, Anne-Marie,

Christine et moi, nous nous glissons furtivement à l'intérieur de l'étable. Pendant que Christine et moi, nous nous balançons à tour de rôle, Anne-Marie rêvasse, étendue dans le foin.

En partant, vers la fin de l'après-midi, Mme Barrette me demande d'aller garder mardi, après la classe. Comme je ne suis pas disponible, Anne-Marie offre de me remplacer.

Ce soir, en me couchant, je passe la journée en revue et je dois admettre que tout a marché comme sur des roulettes. Puis, je m'endors et je rêve que M. Lapierre et ma mère se marient et que le Club des baby-sitters au complet assiste à ce mariage.

le mardi 2 juin

Cet après-midi, j'ai gardé Bruno, Suzon et Marilou Barrette. Quelle expérience! Je ne sais pas si c'est à cause de la température ou du divorce, mais les enfants étaient grincheux et surexcités. Je sais bien qu'ils auraient préféré voir Diane. D'ailleurs, Diane, je ne sais pas comment tu réussis à les contrôler. J'espère qu'ils se comportent mieux en ta présence.

À propos, M. Barrette a téléphoné aujourd'hui, pour savoir où était Bruno. Naturellement, je ne lui ai rien dit. Lorsque j'ai parlé de cet appel à Mme Barrette, elle est devenue cramoisie et elle a dit que son mari savait fort bien qu'elle n'y était pas et qu'il n'a pas le droit d'appeler quand elle est absente. Il se passe quelque chose d'étrange. Je crois que nous devrions faire preuve de vigilance en ce qui concerne M. Barrette.

Dès son retour de chez les Barrette, Anne-Marie se précipite sur le téléphone.

— Diane ! Comment fais-tu pour garder aussi souvent chez les Barrette ?

— Qu'est-ce que tu veux dire ?

— Qu'est-ce que je veux dire ? Mais ce sont de véritables monstres. Si j'étais à la place de leur mère, j'aurais...j'aurais... Enfin, je ferais quelque chose. Je prendrais des mesures draconiennes.

— Ce n'est pourtant pas la première fois que tu les gardes.

— Je sais bien, mais aujourd'hui, c'était encore pire que les autres fois, dit Anne-Marie, un peu plus calme.

— C'est peut-être à cause de la température. Ça fait trois jours qu'il pleut.

— Peut-être. Mais toi, tu t'entends toujours si bien avec eux. Ils t'adorent.

— Oui, dis-je. Ils m'aiment bien.

Ces derniers temps, Bruno a pris l'habitude de venir me voir à la maison et comme Suzon sait maintenant se servir du téléphone, elle m'appelle sans cesse, même si elle n'a rien de particulier à me dire.

— Qu'ont-ils fait aujourd'hui ?

— Tu devrais plutôt me demander ce qu'ils n'ont pas fait, réplique Anne-Marie en entreprenant de me raconter son après-midi.

En arrivant, elle est accueillie à la porte par Bruno, Suzon et Salami. Bruno, qui porte son chapeau de cow-boy et ses palmes, braque son pistolet à eau sur Anne-Marie.

— Bang ! Bang ! Tu es morte.

— Peut-être, mais pas pour longtemps, parce que j'envahis votre maison, riposte Anne-Marie, nullement déconcertée par cet accueil. Écarte-toi de mon chemin, espèce de martien.

— Je ne suis pas un martien. Je suis un cow-boy de la planète Vénus. Et ça, c'est mon arme secrète, crie-t-il en visant Anne-marie, puis Salami. Soudain, il laisse tomber le pistolet, pointe les deux index vers Suzon et fait Pouf! Suzon éclate en sanglots.

Marilou, assise dans sa chaise haute et ne portant rien d'autre que sa couche, se met à pleurer elle aussi.

— Bonjour, Anne-Marie, lance Mme Barrette en dévalant l'escalier.

Ignorant totalement les enfants en larmes, elle enfile son imperméable et se précipite dehors, sans aucune recommandation. Cependant, Anne-Marie dit l'avoir entendue crier : « Marilou est allergique au chocolat! »

Anne-Marie prend donc la situation en main en envoyant Bruno promener Salami.

Elle donne ensuite un biscuit à Suzon en lui demandant de vérifier à la télévision si c'est l'heure de *Passe-Partout*. Suzon sèche ses larmes sur-le-champ. Bruno et Suzon étant ainsi occupés, Anne-Marie peut accorder son attention à Marilou.

— Viens, ma petite Marilou, nous allons te débarbouiller un peu, puis te changer de couche et t'habiller.

Marilou semblait avoir d'autres projets, car elle hurle tout le temps qu'Anne-Marie s'occupe de la rendre présentable. Puis, elle arrête subitement de pleurer quand Anne-Marie la tient devant le miroir.

— Oh, comme tu es belle!

Marilou cligne des yeux et redevient elle-même.

Anne-Marie redescend avec la petite au moment où Bruno revient avec le chien. Il lui enlève sa laisse, le caresse affectueusement, puis court jusqu'à la salle de jeu et « Pouf ! », il fait disparaître Suzon une autre fois.

Suzon se remet à pleurer, et Marilou aussi.

Anne-Marie se retrouve au point de départ.

— Bruno, si tu fais encore disparaître quelqu'un aujourd'hui, peu importe qui, tu devras aller réfléchir dans ta chambre jusqu'au retour de ta mère.

— Non, bon.

— Oh, oui, jeune homme. C'est moi le commandant et vous faites ce que je dis.

— Est-ce que tu le diras à ma mère si je ne suis pas gentil ?

— Certainement.

— Tu n'es qu'une colporteuse !

Anne-Marie répond par un haussement d'épaules.

— Savez-vous ce que nous allons faire aujourd'hui ? demande-t-elle aux trois enfants.

— Je ne veux pas lire d'histoire ! crie Bruno.

— Je n'ai pas envie de colorier ! crie Suzon.

— Il n'y a rien à la télé, enchaîne Bruno.

— Je suis fatigué de jouer aux mimes, déclare Suzon.

— Nous ne ferons rien de cela, annonce Anne-Marie. Nous allons aller sauter dans les flaques d'eau, dehors, puis nous allons rentrer faire du camping et pique-niquer.

— C'est vrai ? s'exclame Bruno.

— Oui. Mais, pour sauter dans les flaques, vous devez d'abord mettre vos maillots de bain. Vous savez où ils sont ?

— Oui, oui ! crient Bruno et Suzon en sautant sur place.

— Tu veux que je te montre où est celui de Marilou ? offre Bruno.

— Non, ce n'est pas nécessaire. Marilou et moi, nous n'en avons pas besoin. Allez, ouste ! Montez vous changer.

Les deux enfants partent en courant et redescendent presque aussitôt, en maillot de bain.

— Ça ne vous a pas pris de temps, dit Anne-Marie. Qu'avez-vous fait avec vos vêtements?

— Je les ai jetés par terre, répond Bruno.

— Moi aussi, dit Suzon.

— Eh bien, vous allez remonter, ramasser vos vêtements et les déposer proprement sur votre lit.

Cette fois, ils montent en maugréant.

— Bon, dit Anne-Marie, lorsqu'ils redescendent. Nous allons tous enlever nos souliers, mettre nos imperméables et nos capuchons et aller patauger dans les flaques d'eau.

— Nu-pieds? demande Suzon, incrédule.

— Presque, répond Anne-Marie, en distribuant des sandales de douche qu'elle a dénichées dans un placard.

— Oh, la la! s'écrie Bruno.

Anne-Marie et les trois enfants vont donc patauger dans les flaques d'eau. Il fait chaud et la pluie qui tombe n'est même pas froide.

— Sautez dans toutes les flaques que vous voyez. Essayez de faire gicler le plus d'eau possible, dit-elle à Bruno et à Suzon.

Bruno saute dans une grosse flaque, en éclaboussant Suzon.

— Anne-Marie! Il m'a arrosée! crie Suzon.

— Parfait, dit Anne-Marie. C'est le jeu. C'est pour ça que je vous ai fait mettre votre maillot de bain et votre imperméable. Ces vêtements sont faits pour être mouillés.

À ces mots, Suzon se met à sauter dans la même flaque que Bruno. Pendant qu'ils courent d'une flaque d'eau à l'autre sur le trottoir, Anne-Marie les suit tranquillement avec Marilou qui, elle, a chaussé ses bottes. Elle marche doucement dans l'eau en riant et en se regardant les pieds. Entre deux flaques, elle examine les vers de terre, leur sourit, lève la tête vers Anne-marie et cligne des yeux.

La promenade prend fin lorsque Suzon lance un ver de terre sur Bruno.

— Le règlement, c'est que celui qui lance un ver de terre doit le manger, dit alors Bruno, en lui mettant le lombric sous le nez.

— Non, non, non! crie Suzon, en recommençant à pleurer.

— Bon, c'est terminé! annonce Anne-Marie. Nous allons maintenant faire du camping.

Après avoir mis les imperméables et les maillots à sécher, Anne-Marie aide les enfants à construire une tente en jetant de vieilles couvertures sur une table à cartes, dans la salle de jeu. Les enfants font même des « rallonges » en renversant des chaises de cuisine autour de la table. Anne-Marie leur sert ensuite un pique-nique composé de jus et de biscuits, que les enfants mangent sous la tente. Tout se déroule merveilleusement bien jusqu'à ce que le téléphone sonne.

— J'y vais, crie Bruno.

— Désolée, dit Anne-Marie, qui se souvient que M^me^ Barrette ne veut pas que les enfants parlent à leur père.

De plus, elle a le pressentiment que je pourrais peut-être appeler pour savoir si tout va bien.

Bruno se précipite tout de même sur le téléphone, mais Anne-Marie arrive avant lui. Dépité, Bruno pointe les index vers elle et « Pouf! »

— Allô? Un instant s'il vous plaît, dit-elle en couvrant le récepteur d'une main. Bruno, va dans ta chambre!

Bruno lui tire la langue et monte bruyamment à sa chambre.

— Allô ? répète Anne-marie.

— Allô, répond une voix masculine. Qui parle ?

— Je suis Anne-Marie Lapierre, la gardienne.

— Bonjour, je suis M. Barrette. Est-ce que je pourrais parler à Bruno, s'il vous plaît ? Ou à Suzon ?

— Je... je suis désolée, ils sont chez des amis, ment Annc-Marie.

— Bon, j'ai compris, répond M. Barrette, en raccrochant violemment.

Cet appel laisse Anne-Marie un peu inquiète. Qu'est-ce qui ne va pas ? Pourquoi M$^{me}$ Barrette ne veut-elle pas que son mari parle à ses enfants ? M. Barrette sait-il qu'elle lui a menti ? Probablement.

Le retour de M$^{me}$ Barrette donne lieu à une scène. Bruno est en colère parce qu'il a été puni et M$^{me}$ Barrette est en colère parce que Bruno ne s'est pas bien conduit et parce que son mari a téléphoné.

— Il est censé appeler les enfants un mardi sur deux. Cela fait partie des arrangements que nous avons pris avec nos avocats. Ce n'est pas le bon mardi. Il n'est même pas capable de s'en rappeler, s'écrie M$^{me}$ Barrette, furieuse. Quant à toi, Bruno, qu'est-ce qui te prend ? Ton professeur se plaint de toi ; tu fais pleurer ta soeur ; tu donnes du fil à retordre à Anne-Marie. Je n'ai pas de temps à perdre avec tes incartades. Je ne peux pas être ta mère, remplacer ton père, tenir cette maison en ordre, chercher un emploi et réparer tes dégâts. Je n'en peux plus, moi.

En haut de l'escalier, Bruno se met à pleurer silencieusement. Au bas de l'escalier, M$^{me}$ Barrette éclate en sanglots à son tour. Puis, elle tend les bras vers Bruno, qui court s'y réfugier. Anne-Marie sort de la maison sur la pointe des pieds.

La pluie continue de tomber pendant plusieurs jours. Mais cela ne semble pas affecter ma mère, qui vaque à ses occupations en souriant et en chantonnant. La maison est à l'ordre et il se passe trois jours sans que j'aie à la reprendre sur sa tenue vestimentaire. Elle et M. Lapierre se parlent au téléphone presque tous les soirs.

En revanche, les jeunes Barrette, eux, ne sont pas à prendre avec des pincettes. Lorsque je les garde samedi, ils sont aussi maussades que la température.

Mme Barrette est partie depuis une heure seulement, mais j'ai l'impression que ça fait toute une journée que je suis là. Rien, absolument rien ne les intéresse.

— Que diriez-vous de monter une pièce de théâtre? dis-je.

— C'est stupide! répond Bruno.

— Nous pourrions faire des bandes dessinées.

— C'est trop difficile, grogne Suzon.

Elle est blottie dans un coin du canapé, vêtue d'une robe bain de soleil et chaussée des souliers à talons hauts de sa mère.

— Qu'est-ce qui vous intéresserait, alors ?

— Je ne sais pas, répond Bruno. Qu'est-ce que tu as envie de faire, toi ?

— Nous pourrions dessiner une immense pièce murale ?

— Ça ne me dit rien, fait Bruno.

— Moi non plus, de dire Suzon.

Je soupire en regardant par la fenêtre. C'est alors que je me rends compte qu'il a cessé de pleuvoir.

— Hé ! Il ne pleut plus. Allons jouer dehors !

— Oh, oui ! crient Bruno et Suzon en choeur.

— Un instant, dis-je, alors qu'ils se précipitent vers la porte arrière. Bruno, mets tes bottes. Suzon, tu n'es pas habillée pour sortir. Il fait frais dehors. Viens te changer pendant que j'enfile un chandail à Marilou. Bruno, tu peux aller nous attendre dehors ; nous allons te rejoindre dans quelques minutes.

Une fois dans la chambre des filles, j'aide d'abord Suzon à mettre un pantalon et un chandail. De la fenêtre, je vois Bruno qui joue à la balle, dans l'entrée de garage. Il a mis ses bottes et son blouson de joueur de base-ball.

Puis, c'est au tour de Marilou. Je change d'abord sa couche et je l'habille plus chaudement.

— Va chercher le gant de base-ball, dis-je à Suzon. Nous pourrons nous lancer la balle à tour de rôle.

Suzon court chercher le gant, puis nous sortons, par la porte d'en avant. La balle est bien là, mais pas de Bruno.

— Il est probablement en arrière, dis-je.

Je ramasse la balle et nous faisons le tour de la maison.

— Bruno ? Bruuuno ?

Silence. Tout ce que j'entends, c'est l'eau qui dégoutte des arbres.

— Bruno ? crie Suzon.

— Il est peut-être caché, dis-je. Bruno ! Si tu veux jouer à cache-cache, montre-toi d'abord pour que nous puissions choisir celui qui va compter.

Toujours pas de réponse. Cette fois, je n'ai pas envie de rire.

— Bruno ! Si tu ne te montres pas tout de suite, je vais me fâcher !

— Il est peut-être chez les Picard, suggère Suzon. Je parie qu'il avait envie de jouer avec Nicolas.

— Je l'espère bien. Mais même s'il y est, il va avoir de gros ennuis. Il doit toujours me dire où il se trouve.

J'assois Marilou dans sa poussette et nous nous rendons toutes les trois chez les Picard. Suzon sonne et c'est M$^{me}$ Picard qui vient nous ouvrir.

— Bonjour, Diane. Bonjour, les petites. Quelle belle surprise, s'écrie-t-elle, en caressant la joue de Marilou.

— Bonjour, dis-je. Est-ce que Bruno est ici ? Je garde les enfants et Bruno est sorti il y a quelques minutes. Comme je ne le trouve pas autour de la maison, j'ai pensé qu'il était peut-être venu jusqu'ici.

— Il n'est pas ici, dit M$^{me}$ Picard en fronçant les sourcils. Du moins, je ne le crois pas. Attends, je vais demander à Nicolas.

M$^{me}$ Picard appelle Nicolas qui vient nous rejoindre quelques secondes plus tard.

— Chéri, dit sa mère, Diane cherche Bruno. Sais-tu où il est ? Est-il venu ici aujourd'hui ?

— Non, j'espérais bien qu'il viendrait, parce que je voulais lui montrer mon nouveau walkie-talkie.

— Tu ne l'a pas vu du tout ? insiste M$^{me}$ Picard.

— Non, répond Nicolas.

— Eh bien, dis-je en m'efforçant de sourire, je suis certaine qu'il se cache quelque part. Je vais retourner chez les Barrette et poursuivre mes recherches.

— Appelle les Marion et les Simard, suggère Mme Picard. Et tiens-moi au courant si tu ne l'as pas retrouvé d'ici une demi-heure.

— D'accord. Merci.

Je retourne chez les Barrette d'un pas si rapide que Suzon est obligée de courir derrière moi. J'ai beau me dire qu'il n'y a pas de raison de paniquer, je commence à m'inquiéter. Bruno est sous ma responsabilité. Je suis censée savoir où il se trouve.

Une fois à l'intérieur de la maison, je dépose Marilou dans son parc et Suzon et moi commençons à chercher minutieusement dans toute la maison et aux alentours. Bruno reste introuvable.

Je téléphone aux Marion et aux Simard. Ils n'ont pas vu Bruno, mais M. Marion me donne les numéros de quatre autres voisins chez qui il aurait pu aller. J'appelle chacun d'eux, mais sans succès.

Prise de panique, je téléphone à Mme Picard.

— J'ai cherché partout et j'ai appelé tous les voisins, dis-je nerveusement. Je ne le trouve pas !

— Garde ton calme, dit Mme Picard. Rappelle les Marion et les Simard. De mon côté, je vais me renseigner auprès d'autres voisins. Nous allons ratisser le voisinage. Je suis certaine que nous le retrouverons.

Vingt minutes plus tard, un groupe considérable de gens, y compris M. et Mme Picard et sept de leurs enfants (Joël est à son cours de piano), se massent sur le parterre des Barrette. Mme Picard prend la direction des opérations.

— Dispersez-vous, en groupes de deux ou de trois. Les

jeunes enfants accompagnent un adulte. Diane et moi allons rester ici, au cas où Bruno téléphonerait.

Les voisins se dispersent et nous rentrons, Mme Picard et moi. Je monte coucher Marilou ; c'est l'heure de sa sieste. Puis, je vais retrouver Mme Picard et Suzon à la cuisine.

— As-tu téléphoné à Mme Barrette? me demande-t-elle.

— Elle est partie faire des emplettes. Je ne sais pas au juste où elle est allée.

— Bon. De toute façon, cela ne réglerait rien.

— Comment se fait-il qu'on ne l'ait pas déjà retrouvé? Jusqu'où peut-il être allé? dis-je en faisant les cent pas entre l'entrée et la cuisine.

— Je n'en sais rien, ma petite, mais cesse de t'inquiéter. Nous allons le retrouver.

— Et s'il était blessé? Il gît peut-être quelque part, inconscient.

— Essaie de ne pas penser à ces choses-là, dit Mme Picard, en m'avançant une chaise près d'elle.

— J'ai déjà lu une histoire au sujet d'un petit garçon qui était tombé dans un puits. C'est peut-être ce qui est arrivé à Bruno. Ou...

La sonnerie du téléphone retentit et je me précipite sur l'appareil.

— Allô?

— Bonjour, dit une voix féminine. Êtes-vous intéressée à vous abonner à notre revue...

— Non, merci. C'est une demande d'abonnement, dis-je à Mme Picard en raccrochant.

Elle semble déçue.

— Diane? Il y a quelqu'un à la porte, dit Suzon.

Nous courons toutes les trois vers l'entrée, où nous trouvons M. Marion, M. Prieur et Marjorie.

— Nous venons juste voir s'il y a du nouveau. Nous n'avons rien trouvé. Nous avons cherché dans toutes les cours, des deux côtés de la rue Olympia.

Quelques minutes plus tard, Vanessa, M$^{me}$ Prieur et la petite Jeanne viennent faire leur rapport à leur tour. Elles n'ont pas eu plus de chance.

Elles sont sur le point de repartir quand Joël Picard arrive.

— Salut, Diane. Salut, Maman. J'ai vu la note que tu m'avais laissée et me voilà. Qu'est-ce qui se passe? Il y a un tas de monde dans la rue.

— Joël, Bruno a disparu et tout le monde le cherche. Tu ne l'aurais pas vu par hasard?

— Bien sûr que je l'ai vu. Il n'est pas disparu.

— Où est-il? dis-je, le coeur battant.

— Il est à son cours.

— À son cours? Mais quel cours?

M$^{me}$ Barrette est peut-être désorganisée, mais pas à ce point. Elle n'aurait pas oublié de m'avertir si l'un des enfants suivait un cours quelconque.

— Suzon, est-ce que Bruno suit des cours, comme des cours de piano ou de judo?

— Non...dit-elle, en fronçant les sourcils.

— Tu en es bien sûre?

— Mais oui...

— Joël, qu'est-ce qui te fait croire que Bruno suit un cours? demande M$^{me}$ Picard.

— Parce que lorsque M$^{me}$ Fournier est venue me chercher, avec Nathalie, pour aller à mon cours de piano, j'ai vu Bruno qui montait dans une voiture. J'ai pensé que lui aussi...

— Tu as vu Bruno monter en voiture avec quelqu'un, ce

matin ? s'exclame M^me^ Picard.

Joël hoche la tête.

— J'appelle la police, dit M^me^ Picard en me lançant un regard affligé.

Complètement hébétée, je la suis dans la maison.

Après l'appel de Mme Picard à la police, les événements commencent à s'enchaîner à un rythme fou.

Tout d'abord, Suzon se met à pleurer. Comme elle est inconsolable, Mme Picard demande à Marjorie, qui vient justement faire son rapport, d'emmener Suzon, Claire et Margot à la maison, pour faire une sieste.

Peu de temps après le départ de Marjorie et des petites, Mme Simard arrive, tenant une petite espadrille rouge à la main. Je suis soulagée de pouvoir lui dire que Bruno portait des bottes quand il est sorti.

Puis, les policiers arrivent ; ils sont cinq. Deux d'entre repartent avec une photo récente de Bruno. (Je leur ai donné celle qui est dans le salon, avec le cadre et tout.) Un autre me pose des questions tandis que les deux derniers interrogent Joël. Ils s'intéressent davantage au compte rendu de Joël qu'au mien.

Ils lui posent les mêmes questions une douzaine de fois : Quelle était la couleur de la voiture ? As-tu remarqué le numéro d'immatriculation ? Peux-tu décrire le conducteur ?

Était-ce un homme ou une femme?

D'abord irrité, Joël finit par avoir peur et éclate en sanglots.

— Je ne sais pas. Avez-vous compris? Nous habitons à trois maisons d'ici et de plus, je ne faisais pas attention. M$^{me}$ Fournier reculait de notre entrée et une fois dans la rue, j'ai vu une voiture s'arrêter devant la maison des Barrette et Bruno y monter. C'est tout.

— C'était bien une voiture bleue? demande l'un des policiers.

— Oui.

— Et tu n'as pas remarqué le conducteur?

— Non.

— Bruno semblait-il effrayé en montant dans la voiture? Avait-il l'air d'agir sous la menace ou la force?

— Non. Il a simplement ouvert la portière et il est monté.

— Est-ce que tu as déjà vu cette voiture auparavant?

— Je ne crois pas, dit Joël en essuyant une larme du revers de la main.

M. Picard pose son bras autour de ses épaules et demande aux policiers s'ils ont d'autres questions.

— Oui, seulement une ou deux. Joël, je sais que nous te l'avons déjà demandé, mais es-tu certain de ne pas avoir vu le conducteur? Tu ne peux vraiment pas nous dire si c'était un homme ou une femme?

— Je ne l'ai pas vu, déclare Joël en prenant une grande respiration. Je regardais Bruno, pas la voiture, ni le conducteur.

— Une dernière question. Quelle heure était-il quand tu as vu Bruno monter dans la voiture?

Je trouve cette question stupide, étant donné que je leur ai déjà dit que Bruno était disparu entre onze heures et onze heures quinze.

— Maman, à quelle heure Mme Fournier est-elle venue me prendre ? demande Joël en se tournant vers sa mère.

— À onze heures quinze, chéri.

— Il était onze heures quinze, répond Joël au policier. Mon cours est à onze heures trente.

Entre temps, j'ai fini de répondre aux questions du troisième policier. Il veut savoir ce que portait Bruno, son âge, où se trouve sa mère. Il pose beaucoup de questions sur son père et me demande si je sais où il habite. Ma réponse le déçoit. Cependant, il manifeste plus d'intérêt quand je mentionne que Mme Barrette n'aime pas que son ex-mari appelle les enfants.

Lorsque l'interrogatoire est terminé, je me laisse tomber sur l'une des marches et, le visage caché dans mes mains, je pleure comme une Madeleine. Après un certain temps, je sens une main réconfortante dans mon dos.

— Diane ? Ça va ? demande une voix douce.

Maman ! Quelqu'un, probablement Mme Picard, l'a avertie. Sans un mot, je me blottis contre elle. Elle me serre dans ses bras pendant un long moment.

Lorsque je me suis ressaisie, je me lève d'un bond.

— Je crois que je vais reprendre mon travail, dis-je en reniflant. Marilou va bientôt se réveiller et les policiers cherchent l'adresse de M. Barrette.

— Tu es très brave, ma chérie. Je suis fière de toi, dit Maman en souriant.

— Tu sais, je me sentirais mieux si tu restais avec moi.

— J'en avais l'intention. Les policiers veulent ratisser tout le quartier, même si Joël a vu Bruno monter en voiture. Julien et moi allons participer aux recherches. Je ne serai pas loin.

— Merci beaucoup, Maman.

Au cours de l'heure qui suit, les policiers vont et viennent, me posent d'autres questions et utilisent parfois le téléphone. Les recherches se poursuivent et on a même recours à six chiens policiers. Heureusement, Marilou se réveille et je peux alors m'occuper. Je lui sers une collation, puis je l'emmène dehors et la laisse s'amuser sur le perron.

Soudain, le téléphone sonne. Je prends Marilou dans mes bras et je cours jusqu'à la cuisine.

— Allô ? dis-je, d'un ton urgent.

— Diane ? C'est moi, Bruno. Je...

— Bruno ! Où es-tu ? Nous sommes tous morts d'inquiétude !

— Je suis dans une station-service.

— Une station-service ! Où ?... Comment ?... Avec qui ?

— Je suis avec Papa. Mais je crois qu'il s'est trompé de journée. Je savais que tu serais inquiète et...

Clic, clic. La ligne est mauvaise. Je n'entends presque plus sa voix.

— BRUNO ? BRUNO ?

Puis, juste avant que la communication ne soit interrompue, je l'entends crier :

— Nous retournons à la maison. Allô, Diane ? Nous retournons...

Au même moment, quelqu'un m'arrache le récepteur des mains. Je pousse un cri en pivotant sur moi-même. C'est l'un des policiers.

— C'était Bruno, Bruno, dis-je, en bafouillant. Il est avec son père. Il a dit qu'ils s'en revenaient à la maison.

Le policier téléphone alors au poste de police.

Soulagée, je commence à rêver tout éveillée. Ce serait

merveilleux si M. Barrette revenait avec Bruno et si tout le monde rentrait chacun chez soi avant le retour de Mme Barrette. Malheureusement, elle arrive environ cinq minutes plus tard. En voyant les voitures de police devant sa porte et l'attroupement sur le parterre, elle sort de sa voiture en courant.

— Diane ? Que se passe-t-il ?

— Eh bien, Bruno a disparu ce matin et Joël Picard l'a vu monter à bord d'une voiture. Mme Picard a alors appelé la police et on a entrepris des recherches, dis-je, la gorge serrée.

— Oh non ! fait-elle en se laissant tomber sur une chaise.

— Mais Bruno vient tout juste de téléphoner. Il est avec son père. Je ne sais pas trop ce qui se passe, mais de toute façon, ils vont arriver sous peu. Oh, ne cherchez pas Suzon ; elle est chez les Picard.

Mme Barrette semble en état de choc.

— Est-ce que ça va, Madame ? demande un des policiers.

— Oui, merci. J'essaie juste de me rappeler...Je suis certaine que ce n'est pas sa fin de semaine. Du moins, je le crois.

Puis elle se lève et va consulter son agenda, à côté du téléphone.

— Oh, non ! dit-elle. Je me suis trompée. C'est cette fin de semaine qu'il devait avoir les enfants. Mais pourquoi n'a-t-il emmené que Bruno ?

Vingt minutes plus tard, M. Barrette et Bruno ne sont toujours pas là.

— Madame, je ne voudrais pas vous alarmer, dit l'un des policiers, mais votre divorce s'est-il réglé à l'amiable ?

— Non, pourquoi ?

— Parce que, de nos jours, la plupart des enfants disparus sont kidnappés par des parents qui auraient voulu en avoir la garde.

— Oh, non ! s'exclame M$^{me}$ Barrette. Mon mari et moi, nous avons des problèmes, mais il n'irait jamais jusqu'à kidnapper les enfants.

Au même moment, nous entendons claquer des portières d'auto puis Bruno fait irruption dans la cuisine, suivi d'un homme à l'air penaud. Bruno court embrasser sa mère et vient ensuite se jeter dans mes bras.

— Je m'excuse de t'avoir fait peur, Diane. Je meurs de faim. Je peux avoir des biscuits ?

Je m'empresse de lui en donner pendant que les policiers bombardent M. Barrette de questions. Apparemment, ce dernier s'est fâché en se rendant compte que M$^{me}$ Barrette avait une fois de plus mêlé les dates et oublié qu'il devait voir les enfants aujourd'hui. Il a donc décidé de lui donner une leçon. Lorsqu'il est arrivé devant la maison, il a trouvé Bruno qui jouait seul et a décidé qu'il serait plus simple de l'emmener sans chercher les filles. Il a ensuite conduit son fils dans un parc d'attractions, mais comme celui-ci ne semblait pas s'amuser, il lui a demandé ce qui n'allait pas. Bruno a répondu qu'il s'inquiétait à mon sujet car il pensait bien que je ne savais pas où il se trouvait. M. Barrette a alors réalisé que sa femme n'était même pas à la maison. Conscient de ce qu'une gardienne peut faire lorsqu'elle constate la disparition d'un enfant, il a pris le chemin du retour sans tarder et c'est à ce moment qu'il s'est arrêté à la station-service. Il a essayé d'appeler plusieurs fois, mais la ligne était toujours occupée. Bruno a réussi à me rejoindre pendant que son père était à la salle de toilettes.

Les policiers donnent un avertissement à M. Barrette, mais rien de plus. Cependant, ils recommandent fortement au couple de consulter leurs avocats respectifs au sujet de la garde des enfants.

Finalement, après le départ des policiers et de M. Barrette, je m'en vais à mon tour, en disant à M^me^ Barrette que je viendrai la voir demain.

J'ai quelque chose à lui dire.

# CHAPITRE 15

Mme Barrette et moi sommes assises à l'arrière de la maison et nous sirotons un thé glacé en silence. Pour une fois, tout est paisible dans la maison. Les enfants sont avec leur père. En effet, ayant admis qu'elle était en quelque sorte la cause des événements d'hier, Mme Barrette a pensé que son mari serait certainement heureux de passer la journée avec Bruno, Suzon et Marilou.

— Alors, Diane, de quoi voulais-tu me parler? demande-t-elle enfin.

— Eh bien, Mme Barrette, dis-je après avoir pris une grande respiration, j'adore Bruno, Suzon et Marilou, mais je ne pourrai plus les garder.

— Mais pourquoi donc? demande-t-elle, d'un air consterné.

— À cause de ce qui est arrivé hier.

— Tu veux parler de M. Barrette. Mais nous allons régler ce problème. Nous allons nous rencontrer de nouveau, avec nos avocats. Mon mari ne te posera plus de problème, Diane.

— Ce n'est pas vraiment ce que je veux dire. En fait, tous les problèmes que j'ai eus sont attribuables à des erreurs... de votre part.

M^me^ Barrette fronce les sourcils. Je peux difficilement la blâmer. Après tout, je n'ai que douze ans et je suis en train de l'accuser de négligence.

— Je suis réellement désolée, mais je peux difficilement faire un bon travail de gardienne si les parents ne m'aident pas. Vous savez, je ne connais pas vos enfants aussi bien que vous. Je dois être informée de certaines choses à leur sujet ; s'ils ont des allergies par exemple. Et je dois pouvoir vous rejoindre en cas d'urgence. Si vous allez faire des emplettes, je sais bien que ce n'est pas possible, mais quand vous êtes à un endroit en particulier, il faut me laisser le numéro de téléphone.

— Le bon numéro surtout, ajoute M^me^ Barrette, songeant sans doute à la fois où elle m'avait laissé le numéro du garage Legris.

— Oui, dis-je. Et ce n'est pas tout. J'ai besoin d'organisation. Je ne peux plus continuer à faire toutes vos tâches ménagères. Et hier, j'ai eu très peur. Et de plus, Bruno et Suzon dépendent beaucoup trop de moi. Bruno me consulte quand il a des problèmes à l'école et Suzon me téléphone à tout propos. La plupart du temps, elle n'a rien d'important à me dire, mais parfois elle se plaint de Bruno. J'aime vos enfants, M^me^ Barrette. Mais je crois que c'est à vous qu'ils devraient se confier. Vous êtes leur mère après tout.

M^me^ Barrette garde le silence. Elle est aussi belle que d'habitude et elle a l'air calme et détendue. Mais je sais bien que ce n'est qu'un masque. J'ai donc décidé que c'était trop risqué et trop compliqué de garder ses enfants. De plus, ce n'est pas sain pour eux. En fait, je n'aide pas M^me^ Barrette.

Tant qu'elle pourra compter sur moi, elle ne se prendra pas en main.

Comme elle ne dit toujours rien, je me lève.

— Voilà pourquoi je ne peux plus garder vos enfants. Ils ont besoin de vous, pas d'une gardienne. Je suis désolée. J'en ai parlé avec les membres du Club des baby-sitters et elles pensent que j'ai pris la bonne décision.

— Oh, Diane, ne t'en va pas comme ça, je t'en prie. Les enfants t'adorent et je crois qu'ils auraient beaucoup de chagrin si tu arrêtais de les garder.

— Eh bien, je viendrai leur rendre visite de temps à autre. Et je les verrai sans doute quand j'irai garder chez les Picard ou chez les Prieur.

— On pourrait peut-être faire d'autres arrangements, dit Mme Barrette. Par exemple, si tu arrivais dix ou quinze minutes avant mon départ, on aurait le temps de se parler et tu pourrais alors me poser toutes les questions voulues. Et...et je vais essayer de mieux entretenir la maison.

— Vous savez, Bruno et Suzon peuvent vous aider à mettre de l'ordre. Ils m'aident chaque fois et ils font bien ça.

— Peut-être aussi que je pourrais te laisser une liste de tâches à exécuter et te payer un supplément en conséquence, poursuit Mme Barrette. Ce ne serait que justice. Diane, serais-tu prête à reconsidérer ta décision ?

— Eh bien, que diriez-vous d'une période d'essai ? dis-je après quelques minutes de réflexion. Je vais garder trois autres fois et nous verrons comment vont les choses.

— Marché conclu, s'exclame Mme Barrette.

Nous nous serrons la main en signe d'accord et nous terminons notre thé, en causant de Bruno, de Suzon et de Marilou.

Lors de la réunion du Club, je relate mon entretien avec Mme Barrette. Mes amies me félicitent d'avoir eu le courage de lui parler ainsi.

— Je pense que c'était équitable de lui donner une chance, dis-je, en guise de conclusion.

— Je suis de ton avis, déclare Christine. Tu as bien agi en lui proposant un nouvel essai. De plus, cela contribue à la bonne réputation du Club. Les gens sauront que nous ne laissons pas tomber nos clients sans avoir tout fait pour les aider.

— Comment vont les jeunes Barrette? demande Anne-Marie. Ils n'ont pas été trop perturbés par l'épisode de samedi?

— Ils vont bien. Naturellement, Marilou ne s'est rendu compte de rien et Suzon a passé la majeure partie de l'après-midi avec Marjorie Picard. Marjorie sait très bien s'y prendre avec les jeunes enfants.

— C'est probablement à cause de tous ses frères et soeurs, suggère Sophie.

— Elle fera une très bonne gardienne, j'en suis certaine, déclare Claudia.

— Qui sait? dis-je. Marjorie fera peut-être partie du Club des baby-sitters, un jour. Mais, pour en revenir aux Barrette, Bruno va bien, lui aussi. Il est peut-être un peu désorienté, mais ses parents lui ont expliqué qu'ils travaillaient à résoudre leurs problèmes.

— C'est effrayant de penser que des parents peuvent vouloir kidnapper leurs propres enfants, dit Claudia.

— Oui, ce serait terrible si mon père décidait de nous enlever, mes frères et moi, renchérit Christine. Encore plus terrible, s'il n'enlevait que David et que nous ne puissions plus jamais le revoir. J'aime autant ne pas y penser.

En effet, moi aussi je trouverais cela abominable si mon père décidait de m'enlever et de m'emmener vivre dans une autre ville où je devrais tout recommencer à neuf.

Je regarde les membres du Club des baby-sitters, mes amies. Anne-Marie et moi, nous sommes étendues, l'une à côté de l'autre sur le lit. Christine est blottie dans le fauteuil et Sophie et Claudia sont assises par terre.

Le téléphone sonne. Je décroche le récepteur pendant qu'Anne-Marie ouvre l'Agenda.

— Club des baby-sitters, bonjour.

— Salut, Diane ! C'est Bruno. Tu sais ce qui est arrivé à l'école aujourd'hui ? J'ai seulement échappé mon crayon sur le pupitre de Simon et le professeur m'a gardé en retenue.

Au lieu de lui poser toutes les questions qui me viennent à l'esprit, je lui demande s'il a parlé de cet incident à sa mère.

— Non, répond-il. Elle ne sait jamais ce qu'il faut faire. Toi, tu le sais.

— Eh bien, peut-être devrais-tu lui donner une chance ? Et demain, quand j'irai te garder, tu me diras ce qu'elle t'a conseillé de faire. D'accord ?

— D'accord, dit-il, en raccrochant.

Après cet appel, nous discutons des affaires du Club pendant quelques instants. Soudain, Christine se lève et s'éclaircit la voix. Il n'en fallait pas plus pour obtenir toute notre attention.

— Voilà, j'ai étudié sous tous ses angles le problème que pose mon déménagement en ce qui concerne le Club. Je sais bien que nous avons tout l'été pour y penser, mais cela m'inquiète et j'ai pris une décision.

Ça y est ! Je suis certaine qu'elle va nous annoncer qu'elle dissout le Club. Je sens les larmes me monter aux yeux et je baisse la tête pour que personne ne puisse me voir.

— J'ai décidé d'augmenter nos cotisations.

— Augmenter nos cotisations ? Mais pourquoi ? dis-je, n'en croyant pas mes oreilles.

— Parce que la seule solution qui me vient à l'esprit, c'est de payer quelqu'un qui me voyagera. Pas un chauffeur de taxi, c'est bien trop coûteux, mais quelqu'un qui sera bien heureux de gagner quelques sous. C'est un travail facile et pour quelqu'un qui vient d'apprendre à conduire...

— Charles ! s'écrie Anne-Marie. Charles aura obtenu son permis de conduire d'ici là. Oh ! Christine, c'est une idée géniale ! De plus, ça lui donnera une excuse pour utiliser la voiture.

— Mais, voyez-vous quelque inconvénient à payer mes déplacements à même nos cotisations ? À mes yeux, ce me semble être une dépense reliée au travail du Club, et comme je suis la présidente et que je dois assister aux réunions...

— C'est la solution idéale, Christine, dis-je.

— Idéale, répètent en choeur Claudia et Sophie.

Deux jours plus tard, mon frère Julien arrive à l'improviste pendant notre réunion. Mais, seule Anne-Marie est surprise. En effet, nous attendions sa visite car nous avons demandé à Julien de venir nous photographier. C'est Christine et moi qui en avons eu l'idée. Anne-Marie a presque terminé la décoration de sa chambre. Son père, qui est de moins en moins près de ses sous, lui a offert une nouvelle moquette, ainsi qu'un couvre-lit et des rideaux neufs. Les murs de sa chambre ont été repeints et il ne lui manque que la fameuse photo des membres du Club des baby-sitters dont elle parle depuis le début de ce projet.

Lorsque Anne-Marie apprend la raison de la visite de

Julien, elle se met à pleurer de joie. Mais, fort heureusement, elle sèche vite ses larmes.

— Bon, les filles, fait Julien, que diriez-vous de vous installer sur le lit ?

Claudia, Sophie et moi, nous nous agenouillons, le dos au mur, et Anne-Marie et Christine s'assoient devant nous.

— Souriez, dit Julien.

Chacune affiche son plus beau sourire, surtout Anne-Marie.

Clic, clic !

Et voilà les cinq membres du Club des baby-sitters désormais immortalisées.

**Quelques notes sur l'auteure**

Pendant son adolescence, ANN M. MARTIN a gardé beaucoup d'enfants, à Princeton, au New Jersey. Maintenant, elle ne garde plus que Mouse, son chat, qui vit avec elle dans son appartement de Manhattan, dans le centre de New York.

Elle a publié plusieurs autres livres dans la collection *Le Club des baby-sitters*.

Elle a été directrice de publication de livres pour enfants, après avoir obtenu son diplôme du Smith College.

6
CHRISTINE ET
LE GRAND JOUR
Quatre gardiennes fondent leur club
LES
BABY-SITTERS
PLUS DE
25,000,000
d'exemplaires
vendus en Amérique
Ann M. Martin

— Crois-moi Christine, le vieux Ben Marchand était fou ! Il mangeait des pissenlits frits et, le jour de ses 50 ans, il a décidé de ne plus sortir de la maison… sauf pour aller dans la cour cueillir ses pissenlits. À sa mort, son fantôme s'est installé ici. Je t'assure que notre grenier est hanté.

Karen Marchand me fixe avec de grands yeux.

— Je te jure, Christine, que le fantôme du vieux Ben hante notre grenier, répète-t-elle.

Karen adore parler de sorcières et de fantômes. Elle pense même que la voisine, la vieille madame Portal, est une sorcière appelée Destinée Morbide.

André, son petit frère de quatre ans, semble frappé de stupeur.

— Je pense que tu fais peur à ton frère, dis-je à Karen.

— Euh… non, souffle André.

— En es-tu bien certain ?

— Non, répond-il d'une toute petite voix.

— Asscz parlé de fantômes ! dis-je avec fermeté.

— Bon, tant pis pour toi ! fait Karen, déçue de me voir si peu empressée à me renseigner sur le vieux Ben. Quand tu viendras habiter avec nous, tu vas regretter de ne pas en savoir plus long sur mon arrière-grand-père, surtout si ta chambre est *au troisième étage*.

Karen prononce « troisième étage » comme si elle parlait du château de Frankenstein. Son assurance me donne le frisson.

Karen et André sont les enfants de Guillaume Marchand, le fiancé de ma mère, Renée Thomas. Lorsque Guillaume et maman seront mariés, Karen deviendra ma demi-sœur et André, mon demi-frère, et mes frères et moi emménagerons dans la maison de Guillaume.

Cette situation présente plusieurs avantages, mais aussi des inconvénients. Les avantages ? Guillaume est riche, pour ne pas dire millionnaire ; sa maison est un véritable château. Charles et Sébastien, mes deux frères, pourront enfin avoir chacun leur chambre, et peut-être même plus d'une pièce. Quant à David, mon petit frère de sept ans, il aura maintenant une chambre plus grande qu'un simple placard.

Pour ma part, je ne vois aucun intérêt à changer de chambre ; je trouve la mienne parfaite. L'inconvénient majeur de ce déménagement, c'est que Guillaume reste à l'autre bout de la ville.

**Voici un avant-goût de ce qui se passe dans les autres livres de cette collection :**

*#1 Christine a une idée géniale*

Christine a une idée géniale : elle décide de former le Club des baby-sitters avec ses amies Claudia, Sophie et Anne-Marie. Toutes les quatre adorent les enfants, mais en fondant leur Club, elles n'avaient pas envisagé les appels malicieux, les animaux au comportement étrange et les tout-petits déterminés à s'affirmer. Diriger un Club de baby-sitters n'est pas aussi facile qu'elles l'avait imaginé, mais Christine et ses amies ne laisseront pas tomber.

*#2 De mystérieux appels anonymes*

Lorsqu'elle effectue des gardes, Claudia reçoit de mystérieux appels téléphoniques. S'agit-il du Voleur Fantôme dont on parle tant dans la région ? Claudia raffole des histoires à énigmes, mais pas quand elle fait partie de la distribution.

*#3 Le problème de Sophie*

Pauvre Sophie ! Ses parents se sont mis en tête de trouver une cure miracle pour son diabète. Mais ce faisant, ils lui compliquent l'existence. Et comme le Club des baby-sitters est en guerre contre l'Agence de baby-sitters, comment ses amies peuvent-elles aider Sophie tout en luttant pour la survie du Club ?

#4 *Bien joué Anne-Marie !*

Au sein du Club des baby-sitters, Anne-Marie est plutôt effacée. Et voilà qu'une grosse querelle sépare les quatre amies. En plus de manger seule à la cafétéria, Anne-Marie doit garder un enfant malade sans aucune aide des autres membres du Club. Le temps est venu de prendre les choses en mains !

#6 *Christine et le grand jour*

Le grand jour est enfin arrivé : Christine est demoiselle d'honneur au mariage de sa mère ! Et, comme si ce n'était pas suffisant, elle et les autres membres du Club des baby-sitters doivent garder *quatorze* enfants. Seul le Club des baby-sitters est en mesure de relever un tel défi !

#7 *Cette peste de Josée*

Cet été, le Club des baby-sitters organise une colonie de vacances pour les enfants du voisinage. Claudia est tellement contente ; ça va lui permettre de s'éloigner de sa peste de grande sœur ! Mais sa grand-mère Mimi a une attaque qui la paralyse... et tous les projets d'été sont chambardés.

*#8 Les amours de Sophie*

Qui veut garder des enfants quand il y a de si beaux garçons alentour ? Sophie et Anne-Marie partent travailler sur une plage du New Jersey et Sophie est obnubilée par un beau sauveteur du nom de Scott. Anne-Marie travaille pour deux… mais comment pourra-t-elle dire à Sophie sans lui briser le cœur que Scott est trop vieux pour elle ?

ACHEVÉ D'IMPRIMER
EN MAI 1991
SUR LES PRESSES DE
PAYETTE & SIMMS INC.
À SAINT-LAMBERT, P.Q.